W9-ACQ-390

WITHDRAWN
L. R. COLLEGE LIBRARY

CUBIERTA.—«Tirso de Molina», escultura
por Coullaut Valera.

UN AUTOR EN UN LIBRO

TIRSO DE MOLINA

ESTUDIO Y ANTOLOGIA

por

JOSE SANZ Y DIAZ

Fr. Gabriel Tellez

COMPAÑIA BIBLIOGRAFICA ESPAÑOLA, S. A.
Nieremberg, 14
MADRID

DEPÓSITO LEGAL: M. 1514.—1964. NÚM. RGTRO.: 934-64.

E. SÁNCHEZ LEAL, S. A. - Dolores, 9. - Madrid.

ESQUEMA BIOGRAFICO

FRAY GABRIEL TELLEZ, "TIRSO DE MOLINA"

Nació en Madrid, al parecer, el año 1584.
Murió en Almazán (Soria), en febrero de 1648.

Hijo de padre desconocido, aunque doña Blanca de los Ríos asegura que fue hijo natural de don Pedro Téllez Girón, segundo duque de Osuna.

1584.—9 de marzo. Bautizo de un Gabriel Téllez en la parroquia madrileña de San Ginés, según acta bautismal firmada por Jerónimo Campos, notario apostólico y público del Sacro Imperio y teniente cura de dicha iglesia. El documento fue hallado por doña Blanca de los Ríos, en la forma y demás circunstancias que ella expone en *El enigma biográfico de Tirso de Molina* (Madrid, 1928). Sostiene la eminente investigadora que el Gabriel, hijo de Gracia Juliana, que allí figura bautizado en la fecha dicha, es fray Gabriel Téllez, *Tirso de Molina*. Que es hijo natural del segundo duque de Osuna, dedúcelo la autora del hecho de que la nota marginal de la partida de referencia, debajo del nombre «Gabriel», se escribió y borró después: «Téllez Girón, hijo del duque Osuna», según interpreta. Son innumerables los autores que aceptan estos puntos de vista de doña Blanca de los

Ríos, pero también es abundante la lista de los que le ponen objeciones, como Jenaro Artiles, Luis Astrana Marín y las huestes del padre Manuel Penedo Rey, con motivo del número extraordinario de la revista *Estudios,* dedicado a conmemorar el tricentenario de la muerte del insigne dramaturgo mercedario.

Esta fecha de nacimiento no tiene como única garantía de exactitud la partida bautismal, sino que cuenta también con el apoyo de la conocida cédula del Real Consejo de Indias, dada a conocer asimismo por doña Blanca. Este último importante documento está fechado a 23 de enero de 1616 y es un testimonio de autenticidad indiscutible, garantizado por la Corona, por el rey Felipe III, por el Consejo de Indias y por la Orden de la Merced. Con la sobriedad burocrática que caracteriza esa clase de lacónicos escritos, dice: «Fray Gabriel Téllez, predicador y letor, de edad de treynta y tres años, frente elebada, barbinegro.» El formidable investigador don Luis Astrana Marín escribió: «La partida de bautismo que aduce doña Blanca de los Ríos pertenece a otro sujeto, y la conjetura de ser su padre el viejo duque de Osuna no pasa de fantástica imaginación. Su origen debió de ser humilde. Los Téllez abundan en Madrid (y en Molina) a mediados del siglo XVI, especialmente en el estado llano y oficios manuales.»

Efectivamente, en Molina de Aragón tiene su casa solariega el ilustre linaje de los Téllez, que desde allí se ramificó como árbol genealógico robusto por todo el país, y es tradición popular aceptada de que en el Señorío nació «un gran fraile de la Orden de la Merced, que se crió a partir de los cuatro años en Taravilla principalmente, y en algunas temporadas en Cuevas Minadas y Tierzo, donde tenía familiares», lo cual guarda relación histórica con el tema que nos ocupa. (Vide ms. del lic. Francisco Núñez, del siglo XVIII.)

Carlos Arauz de Robles, notario y agudo escritor, ha escrito páginas muy lógicas sobre la posibilidad de que fray Gabriel Téllez fuera molinés. A 22 de mayo de 1948, decía, al final de un largo artículo en torno a la patria y al centenario de Tirso: «Este hecho de la impugnación de la autenticidad de la partida sacramental de Tirso de Molina nos coloca a los «coterráneos» del escritor en una situación de intentar lo que algunos de nuestros cronistas o escritores comarcales abordaron ante la sugerencia del tema, la reivindicación de la patria molinesa del celebradísimo fray Gabriel.»

1584.—Como hemos visto, existe la tradición oral, recogida por los cronistas, de que fray Gabriel Téllez se crió desde los cuatro años en Taravilla, Cuevas Minadas y Tierzo, pueblos ellos todos pertenecientes hoy a la provincia de Guadalajara. En las obras del insigne poeta mercedario hay huellas constantes de la toponimia, fauna, flora y costumbres de dicha comarca del Alto Tajo. Al primero de dichos lugares parece aludir Quevedo en el título del panfleto *El Chitón de las Taravillas;* para muchos, el pseudónimo *Tirso de Molina* lo formó el egregio dramaturgo de *Tierzo* y la capital del antaño Señorío, y el apellido Téllez abunda en la tierra molinesa, donde tiene casa troncal, como es notoriamente sabido. Las objeciones opuestas a la partida de bautismo que durante algún tiempo se reputó auténtica, y que dado el estado y deficiencias propias de archivos tan desigualmente guardados y conservados, inducen a volver la mirada a la luz que el pseudónimo de fray Gabriel Téllez nos dé sobre su posible naturaleza o inmediata afiliación molinesa. Si a esto añadimos, como dice Arauz de Robles, que «son muchos los indicios que acompañan a esta presunción», tendremos por muy lógico cuanto se refiere a la crianza y niñez de Gabriel Téllez en Taravilla y sus aledaños. Algún pasaje de las comedias tirsistas describe la vida pastoril de la cabecera del Tajo, con los colores inaccesibles de su realismo poderoso, que trasladan a la vida actual seculares impresiones de la vida campesina y las costumbres molinesas. Tirso tiene un cabal conocimiento del Señorío molinés y de su historia, según puede verse en multitud de pasajes de sus obras. Por ejemplo, *Cómo han de ser los amigos,* se basa en la biografía de don Manrique de Lara, primer Señor de Molina, casado con doña Ermesinda de Narbona, hija del duque de este título. Todo esto lo reconocía don Miguel Herrero García, y Carlos Arauz insiste: «El uso de apellidos del solar molinés, como Portocarrero, Garcés de Marcilla, Lara, etc., y la rendida apología a doña María de Molina (hermana de doña Blanca, quinta señora de Molina y de Mesa) en *La prudencia en la mujer;* el hablar con perfecto conocimiento de las costumbres típicas molinesas, como en la comedia *Bellaco sois, Gómez,* en que don Gregorio dice a doña Ana, disfrazada de hombre:

—Acompáñame un jamón
de Molina, y os prometo...

Y, sobre todo, el haber cantado con exquisita inspiración el hecho más destacado de la historia del Señorío molinés, difícilmente asequible, por su categoría local, a los naturales de la tierra.» Se refiere Robles, claro está, a la famosa comedia ya citada *Cómo han de ser los amigos,* cuyo objeto es ensalzar no sólo el hecho del nacimiento del Señorío independiente de Molina, sino también el carácter y la persona del fundador Manrique de Lara, «tan venerado en las crónicas molinesas como relegado a segundo término en las generales del reino.»

Por su parte, el eminente historiador y cronista oficial de Guadalajara, doctor Layna Serrano, sobrino carnal del famoso polígrafo alcarreño Serrano y Sanz, esclarecedor de algunos pasajes de la vida de nuestro personaje, escribía en *Guadalajara y el centenario de Tirso de Molina* (1948) lo que sigue: «En cuanto a Molina, ha de tenerse en cuenta que —como en reciente artículo indicó don Claro Abánades—existen muchos indicios para creer que Tirso nació en aquella histórica población y no en Madrid, como hasta ahora se dice, apoyándose en datos de muy dudoso valor.» Y añade que «en el mundo docto no está descartada, ni muchísimo menos, la lógica hipótesis de que fray Gabriel Téllez naciera en Molina, o cuando menos, fuese de padre o madre molineses, hipótesis reforzada por numerosas alusiones hechas por Tirso en sus obras respecto a aquella tierra o históricos personajes de la misma».

¿1596?—De ser cierta la tesis rastreada en el antiguo Señorío de Molina, Gabriel Téllez debió de tener una infancia campesina en Taravilla y los otros dos pueblos de la serranía pinariega, en cuyas escuelas de primeras letras debió de recibir los rudimentos primeros culturales: «Infancia de niño precoz en la dureza del ambiente en que vive.» Luego es posique que pasara a la ciudad de Molina, donde ya existían buenos colegios de distintas Ordenes. Todo cuanto se diga de su familia y nacimiento madrileño es, hasta hoy, desgraciadamente, pura cábala literaria, a pesar de las afirmaciones del autor en *Los cigarrales de Toledo,* donde alude a su anónima hermana, residente en su patria, «igual al escritor en ingenio y en desdichas», y a su discutible sobrino, Francisco Lucas de Avila, que publicó algunas partes de las comedias de Tirso y que se dice colaborador suyo. Con razón doña Blanca de los Ríos le llama a éste «sedicente sobrino de fray Gabriel, que más parece un testaferro inventado por el poeta para sustraerse a las *tempestades y persecuciones envidiosas* que estuvieron a punto de dar con él a pique, que un verdadero deudo de fray Gabriel». Y añade que acertadamente escribió don Emilio Cotarelo: «Casi nadie cree hoy en la existencia de tal sobrino», puesto que se trata de un personaje fingido que habla en el lenguaje y estilo inconfundibles de Tirso.

1597.—A partir de los trece o catorce años debió de trasladarse a Alcalá de Henares, centro de Enseñanza Media y Superior muy frecuentado por todos los estudiantes de la región, por lo que un cronista escribe en el *Diario de Barcelona* de 11 de julio de 1948: «No deja de ser curioso que estudiara en la vieja Cómpluto, como lo hacían a la sazón todos los molineses de familias ricas e ilustres, y que más tarde tomara el hábito de la Merced en el convento que la Orden tenía en Guadalajara bajo la advocación de San Antolín, casa que fue fundada en el año 1306 por una princesa descendiente de los señores de Molina, la infanta Isabel, hija legítima de los reyes Sancho IV *el Bravo* y doña María de Molina, hermana ésta de la infanta doña Blanca de Molina, dueña y señora del Señorío. Por todo lo cual es lógico que fray

Gabriel Téllez naciera en tierras molinesas, ya que en las obras del genial dramaturgo asoman siempre la flora, la fauna, la historia y las costumbres molinesas.» Y añade el cronista: «Tanto estos detalles como el amor y veneración que siempre tuvo a la gran figura histórica de la reina molinesa; el hecho de ingresar en un convento alcarreño fundado por una hija de la misma, la adopción del pseudónimo de *Tirso de Molina,* cuando tantos ingenios de la época aceptaban como apellido literario el nombre del pueblo de su naturaleza, nos hacen pensar que el escritor Carlos Arauz de Robles tiene razón al insistir en que este Velázquez del arte dramático, que es fray Gabriel, no puede ser más que de Molina, cuna de la más amplia rama de los Téllez. Por lo menos, nadie documentalmente puede probarnos hasta hoy que no lo sea.»

1600.—Toma en Madrid el hábito de la Orden de la Merced, como refrendo del noviciado de Guadalajara, luego de los estudios hechos en la Complutense, que consigna Cotarelo en sus *Indagaciones biográficas* («Tirso de Molina», págs. 25-26) con estas palabras: «Dos testimonios existen que acreditan haber hecho fray Gabriel Téllez sus estudios en la Universidad de Alcalá de Henares, aparte de algunas indicaciones que hay en sus propias obras. Uno, el del autor del prólogo de la tercera y última—Emilio Cotarelo escribía en 1893—edición de *Deleitar aprovechando,* obra de nuestro poeta, el cual prologuista era, al parecer, compañero de hábito de Tirso; y otro, el de su amigo y paisano (?) Matías de los Reyes, poeta dramático y novelista, quien en la dedicatoria que le hizo de su comedia *El agravio agradecido* afirma haber cursado con Téllez..., y consta por sus propias palabras que Reyes hizo estudios mayores en Alcalá.»

Pero volvamos a los documentos, al tercero, que transcribe doña Blanca de los Ríos en la cronología biográfica y dramática tirsiana, con estas mismas palabras: «Por primera vez aparece ante la Historia Gabriel Téllez a los dieciséis años, vestidos ya los blancos hábitos de la Merced y novicio en Guadalajara. Consígnalo el *Registro del padre Talamanco,* redactado en 1735 (ver Serrano y Sanz, *Revista de España,* 1894), precioso testimonio, el cual dice al folio 53 vuelto: «Fray Gabriel Téllez y fray Hernando de Orio eran novicios en Guadalajara el 14 de noviembre de 1600.» La estancia en Madrid debió de ser rápida y circunstancial, únicamente para el simbólico acto, como vamos a ver en seguida.

1601.—Al folio 65 del *Registro de los papeles del Archivo del convento de Guadalajara, para el fin de recoger las memorias conducentes a la historia de la Orden,* del padre Talamanco, encontró doña Blanca esta nota: «Fray Gabriel Téllez profesó a 21 de enero de 1601, siendo comendador fray Baltasar Gómez, y general, Medina.»

1601-1605.—Cinco años por lo menos estuvo el novicio mercedario en la ciudad de los Mendozas, pues el cronista oficial de la provincia y distinguido historiador, don Francisco Layna Serrano, ha escrito: «La ciudad de Guadalajara debe sentirse orgullosa porque en su desaparecido convento mercedario de San Antolín, que estuvo inmediato al moderno Hospital Provincial, residió siete años (por lo menos seis) fray Gabriel Téllez, cabiendo conjeturar que en el cenobio arriacense de la Merced completó su instrucción y se formó literariamente en diario contacto con la pléyade de hombres cultos residentes en la llamada «Atenas alcarreña», donde ingresó como novicio para profesar en 1601 y permanecer allí todavía un lustro.»

Doña Blanca, entre otros documentos, encontró trece escrituras públicas que acreditan la estancia de Téllez en Guadalajara hasta junio de 1605, teniendo por maestro de su noviciado a fray Manuel Calderón, según Tirso mismo afirma en su *Historia de la Merced,* al decir: Lo cual «puedo atestiguar siendo novicio suyo...»

1603.—En dicho año seguía estudiando en Guadalajara como novicio y «demás tiempo de humildades», confiado a la tutela del padre fray Manuel Calderón, y todos bajo la autoridad del comendador de la Orden mercedaria, fray Baltasar Gómez, y del vicario de Castilla, fray Diego Coronel, salvo al reunirse el Capítulo en el convento arriacense de San Antolín, a 25 de abril de 1603, bajo la presidencia del general de la Merced, padre Monroy. El madrileño Matías de los Reyes fue condiscípulo de Téllez, lo mismo en Alcalá que en la capital alcarreña.

1604.—El padre Penedo Rey escribe en la revista *Estudios* (1949, pág. 22): «El documento que publicamos demuestra que Tirso vivía en el (convento) de Toledo el año 1604. Era conventual, morador habitual y, por tanto, allí debía hacer sus estudios en aquel entonces.» Circunstancialmente, en sus desplazamientos desde Guadalajara, pues como asegura dicho escritor contemporáneo, «los estudiantes (mercedarios) pasaban con facilidad de un convento a otro.» Coincide con el parecer de doña Blanca de los Ríos en algunos puntos de las relaciones de fray Gabriel con Toledo, que «se documenta casi desde el principio de su vida religiosa».

1605.—En la edición crítica de las *Obras dramáticas completas,* tomo I, dice la señora De los Ríos; «Con mi hallazgo en el Archivo de Protocolos de Guadalajara de trece escrituras públicas otorgadas por el convento mercedario de San Antolín ante el notario Josef de Molina, queda acreditada la estancia de Téllez en aquella ciudad y monasterio, desde el 8 de enero de 1605 hasta el 23 de junio de aquel año, célebre por la publicación del *Quijote.* En todos estos documentos figura Tirso como *presente* entre los conventuales de aquella casa, y en nueve de ellos aparece su gloriosa firma autógrafa.»

Una carta de Lope de Vega, fechada en Toledo a 3 de septiembre, certifica su encuentro con Tirso de Molina en dicho año en la ciudad imperial.

1606.—El primer documento otorgado por la Orden de la Merced en Toledo, con la firma de fray Gabriel Téllez, es el de 26 de enero del año al margen expresado, al menos hasta que nuevos hallazgos demuestren lo contrario.

¿Cuándo empezó Tirso de Molina a escribir para el teatro? Seguramente en Madrid, hacia este año al margen señalado, aunque no debió de hacerse famoso en seguida, entre otras razones porque tuvo que estudiar hasta el año 1615, pues los estudios superiores mercedarios exigían «diez o doce años de tareas en cátedras, conferencias y actos públicos», según su propia confesión y las Ordenanzas de la Orden.

Efectivamente, en el año 1606 empezó fray Gabriel Téllez a darse a conocer como dramaturgo y poeta. Cotarelo y Mori ya lo indicó en 1893: «Sea como quiera, parece indudable que Téllez no dio al teatro ninguna obra suya antes de 1605 o 1606, ni que tampoco la escribiese, con lo cual cae por su base», etc.

1607.—Aunque parece indudable que el insigne mercedario pasó el tiempo de su noviciado en Guadalajara, confirmándolo varios autores y entre ellos el padre José Antonio Gari en su *Biblioteca Mercedaria,* página 298 (Barcelona, 1875), antes de terminarlo debió de ir a pasar temporadas a Toledo, según vemos en las citas anteriores y en un escrito de 11 de junio de 1607 que acredita hallarse allí Gabriel Téllez. Se trata de un documento otorgado por el toledano convento de la Merced. Si esto es así, allí, junto al Tajo, debió de escribir su comedia hagiográfica *Los lagos de San Vicente,* que es la primera cronológicamente de su producción.

Por este año de 1607 murió el decano de la Universidad de Salamanca, fray Francisco Zumel, de quien trata Téllez en su *Historia de la Merced* como si le hubiera conocido, diciendo al trazar la encomiástica semblanza que era coterráneo del «maestro fray Pedro Merino, catedrático de Theología moral de Salamanca» y profesor que fue de Tirso. Otras menciones a su maestro el padre Merino contiene la obra de referencia.

Doña Blanca de los Ríos, en su *Cronología,* folio CIII, asegura que «lo demostrado por testigos irrecusables es que el nombre de fray Gabriel Téllez desaparece de los protocolos toledanos desde el documento otorgado por aquel convento de la Merced a 11 de junio de 1607, hasta el otro documento otorgado por el mismo monasterio el 13 de agosto de

1612». ¿Dónde vivió el novicio Téllez en Guadalajara? El cronista alcarreño Avelino Antón nos lo dice sobre el terreno: «En el lugar donde hoy se levanta en nuestra ciudad el Hospital Provincial existió durante más de cinco siglos un viejo monasterio habitado por los austeros frailes mercedarios. Su fundación se remonta a los primeros años del siglo XIV, en que los monjes de hábito blanco de la Orden de la Merced ocuparon sus frías celdas. Ante la febril actividad de esta Comunidad religiosa, surgen importantes ampliaciones y reformas del primitivo edificio, donado por la piadosa infanta Isabel, hija de Sancho IV *el Bravo* y de la reina doña María de Molina, y adquiere este convento de Guadalajara un prestigio y una riqueza que le hacen famoso. Por sus numerosas celdas desfilan frailes notabilísimos, ilustres mercedarios que van a dejar una estela de luz y de gloria a España y la ciudad que les alberga. Guadalajara fue para fray Gabriel Téllez un escenario maravilloso donde posiblemente surgieron los populares personajes de sus inmortales obras. Durante los seis años que permaneció en Guadalajara no anduvo ociosa su pluma. Hizo ensayos literarios; concibió argumentos y escribió la comedia *Amar por señas*». Y añade: «De aquel monasterio de Nuestra Señora de la Merced, enclavado durante siglos en lo que hoy es Hospital Provincial, no queda nada. La piqueta demoledora del siglo XIX lo deshizo, después de haber sido desvalijado por las huestes napoleónicas. Pero con un poco de fantasía podemos imaginarnos a fray Gabriel Téllez, el monje de hábito blanco, pasear por su patio claustral o contemplando desde la ventana de su celda el paisaje del Henares.»

Según la investigación del rastreador erudito de

la vida de Lope de Vega en Toledo, Francisco de B. San Román, período de 1590 a 1615, a 11 de junio de 1607, se encontraba Gabriel Téllez en la Ciudad Imperial, donde se tratarían ambos poetas y dramaturgos. La constancia de residencia es un documento notarial mercedario.

1608.—Ya escritas *La celosa de sí misma* y *La villana de la Sagra,* y en trato con Lope, Tirso de Molina volvió a Guadalajara, según reconoce la misma doña Blanca de los Ríos, en su glosa a los primeros documentos de Téllez en Toledo: «De esos años hay que restar el del 1608, en el que se diría que Tirso residió en Guadalajara, según nos habla de aquel convento de esa época y de la muerte de fray Diego Coronel (sucedida en 1608), a la cual parece haber asistido.»

Pero el 14 de junio de 1963, en el periódico soriano *Hogar y Pueblo,* el notable investigador don Víctor Higes da una noticia hasta ahora inédita de la estancia de fray Gabriel Téllez en Soria, en plena juventud—cuarenta años antes de ser comendador en el mismo convento—, la cual es interesantísima, porque aclara uno de los puntos oscuros de su biografía.

En el Archivo Histórico Provincial, sección de Legajos Protocolarios, el doctor Higes acaba de encontrar uno que certifica, a 26 de agosto de 1608, la «prueba concluyente de que Tirso de Molina desempeñó durante algún tiempo, cuando contaba veinticuatro años de edad, el cargo de vicario de este convento (el de la Merced, en Soria). Se trata de una escritura de poder, otorgada ante el escribano Miguel Navarro, en dicha fecha, por «el comendador, frailes y convento del monasterio de Nuestra Señora de la Merced y rendención de cautivos de esta ciudad de Soria, estando juntos en su capítulo..., siendo y estando presentes fray Francisco Ruiz, comendador, y el padre fray Gabriel Téllez, vicario, y el padre fray Juan Continiente, el padre fray Miguel Pérez, fray Pedro Martínez, fray Tomás de Soto, frailes conventuales...» Todos los cuales firman al final de esta escritura. Una firma autógrafa más de Tirso y otro punto más de su vida aclarado.

1609-1611.—No hay rastro documental de la residencia de fray Gabriel Téllez, según las aportaciones biográficas del III centenario de su muerte. Es posible que estuviera primero en Soria y luego en Galicia en 1611.

1612.—13 de agosto. Reaparece el padre Téllez en otro documento del monasterio toledano de Santa Catalina. (Blanca de los Ríos, I, pág. CIII.)

1613.—20 de mayo. Ya consta que estaba en Toledo en dicha fecha, en la que, según el padre Penedo, comenzó la primera *Santa Juana.*

1614.—En el curso 1613-1614, fray Gabriel Téllez debió hacer las pruebas escolares precisas para obtener los grados de predicador y lector, títulos que veremos tenía cuando embarcara para las Indias.

1615.—El padre Gabriel Téllez vivió en Madrid algunas temporadas, que sus biógrafos y comentadores no precisan. En este año estuvo en la capital de España, antes de emprender el viaje a Sevilla, precisamente en los días en que Cervantes publicaba el prólogo de las *Comedias* propias. Omite el nombre de Tirso de Molina entre los que «habían ayudado al gran Lope a llevar la máquina» de su teatro. Federico Carlos Sáinz de Robles, gran cronista de Madrid, escribe al respecto: «Ya fraile, estudioso y discreto, Tirso se siente seguro, capaz de andar por todas partes pisando firme. Los votos sagrados le han conseguido esa protección máxima que él tanto echó de menos mientras fue niño pálido y silencioso.» Habla alto, opina, sonríe y empieza a delatar en obras su magna personalidad, fustigando costumbres, ironizando vidas y adquiriendo fama de avisado y sutil como gran maestro de su Orden. Y Federico Carlos Sáinz de Robles continúa diciendo, en el *Diccionario Biográfico Universal,* al trazar la vida del padre Téllez: «Debió Tirso vivir en Sevilla algún tiempo antes de embarcar para la isla de Santo Domingo, donde estuvo dos veces»; pero por entonces conocía bien la Villa y Corte.

1616.—Está en Sevilla, donde obtiene licencia para pasar a Indias, y se embarca para la isla de Santo Domingo o Española.

Embarca en la fragata *Nuestra Señora del Rosario,* partiendo de Sanlúcar de Barrameda el día 10 de abril de 1616. Lo sabemos por la Real Cédula de 23 de enero de dicho año, otorgada por Felipe III, en la que se expresan los datos más indubitables que tenemos de fray Gabriel Téllez: el año de su nacimiento, los treinta y tres años que tenía al embarcarse, su aspecto físico, que era de frente elevada y barbinegro, y sus grados académicos dentro de su Orden: padre predicador y lector; aparte del nombre del navío que lo llevó a Indias, el lugar y la fecha de partida.

Tan preciosos documentos los halló el académico padre Pedro Nolasco Pérez en el Archivo General de Indias, en Sevilla, tres siglos justos más tarde, en el año 1916. Este sacerdote investigador, con residencia en Santiago de Chile, cedió a doña Blanca de los Ríos *la gloria de publicar por vez primera tan inestimables joyas.*

1617.—Se ignora la fecha de arribada a la Española, pero debió de ser en el mes de junio, calculando las travesías normales de los navíos de entonces. Así que fray Gabriel Téllez residió en la isla de Santo Domingo seis meses del año 1616, el año entero de 1617 y quizá algo del siguiente. Tirso de Molina pasó por los distintos establecimientos que en dicha Antilla tenía por entonces la Orden mercedaria, sabiéndose que por último moró en el famoso convento de las Mercedes, con su gran templo anejo, que todavía subsiste. Es un hermoso edificio construido en tiempos del emperador Carlos V por la Real y Militar Orden de Frailes Mercedarios, con el propósito de reunir en un solo monasterio a todos los miembros de la misma que se hallaban diseminados y establecidos en tierras dominicanas desde los primeros días del Descubrimiento. Empezaron las obras en 1528 y fue director de las mismas fray Francisco de Bobadilla, ayudado por doce compañeros de religión. Del histórico convento que albergó al inmortal dramaturgo sólo quedan hoy ruinas venerables; pero, en cambio, se conserva la iglesia bien restaurada.

1618.—Ya estaba de vuelta de Santo Domingo, estableciendo su residencia en Madrid y con preferencia en Toledo. Asistía a la Academia Poética de Madrid, dice el catedrático de la Universidad Central y académico de la Real de la Historia, don Angel González Palencia, en el prólogo de *El condenado por desconfiado.* Academia que había fundado Sebastián Francisco de Medrano. Lo confirma el cronista de las cosas de Madrid, Sáinz de Robles, que en la obra anteriormente citada *(Diccionario Biográfico Universal)* escribe: «Pero en 1618 ya estaba de regreso y bullía mucho más que en los claustros de su Orden, en los parnasillos y en los mentideros. Perteneció por esta época a la Academia Poética de Madrid, que reunía en su casa el doctor Medrano, clérigo y literato muy estimado de todos los ingenios de su tiempo, que frecuentaban su academia y le habían nombrado presidente de ella.» Marchó a Extremadura y residió en Trujillo.

1619.—Con la firma Fr. M. P. (Manuel Penedo), en la revista *La Merced,* de Madrid, número de julio-agosto 1942, página 119, se dice textualmente, entre documentos publicados directamente por dicho padre de la Casa de Estudios de Madrid: «Estancia de Tirso en Valladolid en 1619.» Y don Emilio Cotarelo y Mori, en sus *Indagaciones biográficas* (pág. 31), escribe: «Por los años 1619 escribía el extremeño don Fernando de Vela y Mendoza su *Panegírico por la poesía*..., y en él se cita y celebra por su «facilidad e ingenio al presentado fray Gabriel Téllez, comendador de la Merced de la ciudad de Trujillo.» Luego debió serlo a su vuelta de Santo Domingo, pues también don Cayetano Alberto de la Barrera allegó tan importante dato a la biografía de Tirso. Luego el mercedario iría a Valladolid desde Extremadura, residiendo en la ciudad del Pisuerga sólo de paso, con desplazamientos a Galicia y Portugal, que era entonces una región española. En Trujillo debió documentarse, ambientarse y escribir, como señala Mori, «las tres partes de las *Hazañas de los Pizarros,* naturales, como es sabido, de dicha ciudad».

1620.—Este año Lope de Vega le dedica su comedia *Lo fingido verdadero,* no se sabe si por sincero impulso cordial o como un bien medido paso de estrategia literaria. El mismo año se representa en Madrid la excelente comedia *La villana de Vallecas,* en la que Tirso, correspondiendo a la cortesía, hace cumplidos elogios de Lope. Lo confirman todos los autores, que se hallaba Tirso de Molina en Madrid en dicha fecha, y Cotarelo en la página 34.

1621.—En este año publica fray Gabriel Téllez su primer libro, titulado *Cigarrales de Toledo,* dedicado a don Suero de Quiñones y Acuña. Es una curiosa obra que contiene novelas, comedias, versos y divagaciones literarias que comentan personajes de ambos sexos discurriendo por las huertas de las afueras de Toledo y cabe el Tajo. De esa obra dice Cotarelo que Tirso «tenía en 1621 compuestas trescientas comedias, doce novelas, empezada la segunda parte de los *Cigarrales* y dadas a la imprenta (no a luz, como se supuso antaño equivocadamente) doce de aquéllas, que sería *primera parte* de las suyas». Y Antonio Castro Leal, en *Tirso de Molina y sus obras* («La Nueva Democracia», Nueva York, pág. 67), anota: «En los *Cigarrales de Toledo* encontrará el lector las comedias famosas *El celoso prudente* y *El vergonzoso en Palacio,* joyas del teatro español; la novela, tan fina y elegante, de *Los tres maridos burlados,* y, además de muchos versos deliciosos, aquellas páginas en defensa de las comedias de Lope, tan claras y valientes en sus razonamientos.» Habla el libro en cuestión, diciendo: «Once meses ha que estoy en las mantillas de una imprenta, donde, *como a niño dado a criar en la aldea* (sin duda recordando Tirso su crianza en Taravilla)...» Añade en otro párrafo que en «catorce años» compuso Téllez las trescientas comedias citadas, y aporta en los diálogos fingidos algunos datos biográficos, que han sido aprovechados hasta el máximo y en no pocas ocasiones sacados de quicio.

El volumen *Cigarrales de Toledo* está concebido con sumo ingenio; son sus personajes damas y caballeros que cantan, recitan y conversan, asistiendo a representaciones de comedias, contando historias y sucedidos, charlando sobre casos y modas literarias. En este argumento o torneo, el libro dice que Tirso ganó el premio, lauro que envió «a una hermana suya que tenía en su patria (en el antiguo Señorío de Molina, sin duda), parecida a él en ingenio y desdichas».

1621.—El teatro de oposición de Tirso de Molina se inicia en este año, a 6 de abril, con la prisión del duque de Osuna, y dura hasta la caída del conde-duque de Olivares, a 26 de enero de 1643. Se agravaron, con tal motivo, las hostilidades entre Téllez y Quevedo.

Prueba que se hallaba fray Gabriel en Madrid la dedicatoria impresa de Matías de los Reyes en su comedia *El agravio agradecido,* impresa en 1622, donde afirma habérsela leído al insigne mercedario «en su convento de Madrid el año anterior».

A comienzos de éste se representó en el teatro del Palacio Real *La romera de Santiago,* dirigida por Vallejo.

1622.—Concurre en Madrid al certamen literario de las fiestas para la canonización de San Isidro, no obteniendo ningún premio. Concursó con unas octavas y una décimas que—según Menéndez y Pelayo—«ni fueron premiadas ni merecían serlo».

Por aquellas mismas calendas se publicó una obra titulada *Primavera y flor de los mejores romances que han salido ahora nuevamente en esta Corte, recogidos de varios poetas*, por el licenciado Pedro Arias Pérez, dirigido al maestro Tirso de Molina. No deja de ser interesante como prenda de admiración al ilustre poeta. Asiste éste al Capítulo General de su Orden en Zaragoza.

1623.—Juan Ruiz de Alarcón—con el que parece que colaboró Tirso en obras teatrales, quizá de 1619 a 1622—publicó una relación poética de las fiestas oficiales en honor del príncipe de Gales, Carlos Estuardo. Con motivo de este «elogio descriptivo» y como una simple ironía literaria, llovieron sobre el poeta mejicano, que era jorobado, como sabemos, diversos epigramas. Entre ellos se atribuye a fray Gabriel Téllez esta décima:

Don Cohombro de Alarcón,
un poeta entre dos platos,
cuyos versos los silbatos
temieron y con razón,
escribió una Relación
de las fiestas, que sospecho
que, por no ser de provecho,
le han de poner entredicho;
porque es todo tan mal dicho,
como el poeta mal hecho.

1624.—Tomó cuerpo la denuncia que a finales del año anterior, ante la Junta de Reformación se le hizo, porque no parecía bien que un fraile escribiese para el teatro. El Consejo de Castilla decretó que no escribiese más comedias Tirso (tenía ya escritas más de cuatrocientas), y el poeta tuvo que salir de Madrid, aunque parece que siguió escribiendo obras de teatro.

1625.—Antonio Castro Leal, en *Tirso de Molina y sus obras,* afirma: «Ya en 1625, después de casi veinte años de trabajo para el teatro, Tirso había representado un buen número de comedias, y se hizo firme que continuará escribiendo más. Efectivamente, en este año se encuentra, entre los legajos del Consejo de Castilla, el siguiente acuerdo de la Junta de Reformación: «Tratóse (ya en firme) del escándalo que causa un fraile mercenario que se llama maestro Téllez, por otro nombre *Tirso,* con comedias que hace profanas y de malos incentivos y ejemplos, y por ser caso notorio, se acordó que se consulte a Su Majestad mande que el padre confesor diga al Nuncio le eche de aquí a uno de los monasterios más remotos de su religión, y que le imponga excomunión, *latae sententiae,* para que no haga comedias ni otro ningún género de versos profanos, y que esto sea luego.» Es decir, inmediatamente.

No parece ni se sabe si las denuncias que dieron lugar a este acuerdo provinieron de personas que se habían escandalizado realmente del caso, o si, como parecen sugerirlo el propio Tirso y las intrigas políticas y literarias de la época, fue una venganza tomada por sus enemigos, dolidos de las críticas buidas del mercedario. Tirso dejó de escribir comedias en algunos años, y en éste vivió en Salamanca—según González Palencia—; pero el caso es que la sentencia del supuesto proceso a que alude el texto anterior de la denuncia en firme no aparece por ninguna parte, cuando debiera estar con el legajo denunciante de la Junta de Reforma. Se ignora, por tanto, a pesar de los tratadistas que lo dan por cierto, si hubo al fin prohibición o si el expediente se suspendió o sobreseyó, una vez abierto, por gestiones de la Orden o de persona influyente.

El padre Penedo, en su capítulo de la estancia de Tirso en Sevilla *(Estudios,* Madrid, 1949, págs. 32 y sigs.), afirma que las causas del acuerdo, no sentencia, de la Junta de Reformación posiblemente fueron políticas; que las sanciones propuestas—destierro y entredicho de escribir comedias—quedaron sin efecto; que en la primavera de 1625, Tirso se trasladó a Sevilla y que viajó con el escritor San Cecilio a la villa de Fuentes, y que en el mes de diciembre vuelve a encontrársele en la ciudad del Betis. Con los recuerdos de todas esas estancias y viajes andaluces habría de escribir en el año siguiente, ya de regreso en Castilla, *La huerta de Juan Fernández.* El cronista de los Mercedarios Descalzos, fray Pedro de San Cecilio, dice: «Conocí al padre presentado Téllez en Sevilla... y caminé con él hasta la villa de Fuentes, donde yo era actual comendador el año 1625» (N. B. AA. EE., IV, pág. 9, nota 1.ª).

Que el acuerdo quedó sin efecto, anota el padre Penedo (pág. 72), se demuestra con un elemental raciocinio: «Tirso escribió, por lo menos, *La huerta de Juan Fernández* en 1626, como hemos probado y afirma Cotarelo, todavía sangrante la herida», comedia valiente, alarde de intrigas, de pasiones amorosas y de buida ironía. No pudo caer en excomunión, porque, como muy bien dice fray Manuel Penedo, «un religioso pública y notoriamente excomulgado queda *ipso facto* inhábil para cargos, privado de voz activa y pasiva, etc. Fray Gabriel Téllez, por el contrario, desde aquel momento interviene más activamente en el gobierno de la Orden, creciendo en cargos, prestigio, honores y grados.» Emilio Cotarelo y Mori afirma que Tirso escribió en 1625, por lo menos, las comedias *No hay peor sordo*, *Habladme en entrando* y *Desde Madrid a Toledo*.

1626.—Fray Gabriel Téllez marchó a Madrid, desde Sevilla, a comienzo de este año, en el que escribió *La huerta de Juan Fernández*. La doctora Ruth Lee Kennedy lleva muchos años investigando la fecha exacta o aproximada de todas las comedias conocidas de Tirso de Molina.

Desde Salamanca marcha a la capital de las Alcarrias, donde permanece, al menos, del 30 de mayo al 3 de junio. Acta del Capítulo de la Orden de la Merced, celebrado en Guadalajara entre esas fechas, en el que fue nombrado el padre Téllez comendador en el convento de Trujillo. Se suele considerar este nombramiento como una especie de benévolo destierro. Tirso de Molina asistió a dicho Capítulo y tuvo voto en él como *redentor*, de aquella Redención de la Merced y de la Trinidad que, por intrigas de Quevedo, trataron de suprimir las Cortes de Monzón.

A 13 de julio firma en este año el insigne mercedario el primer poder o documento como comendador de la casa de Trujillo.

1627.—Vive en Trujillo, en el convento de su Orden, según acreditan los documentos de 20 de mayo, 24 de julio y 5 de septiembre, entre otros.

1628.—Continúa en el mismo cargo de comendador y sigue otorgando documentos, como el de 4 de febrero, sobre redención de un censo. A partir de la primavera marcha a Salamanca, para asistir a las fiestas en honor de San Pedro Nolasco, fundador de su Orden, concurriendo a los certámenes con veintiuna composiciones poéticas. Desde allí volvió a Toledo, viviendo una temporada.

1629.—A 30 de abril. No como comendador de Trujillo, que seguía siendo, sino a título particular como autor de comedias, firma un poder para cobrarle al comediante José de Salazar, en Sevilla, el importe de tres comedias suyas, a trescientos reales cada una. Tirso de Molina, a pesar de ser fraile, otorgaba por cuenta propia documentos notariales. Antes, a 1 de marzo, está fechada la *Apremiantísima orden del maestro general, fray Juan Cebrián, al presentado Gabriel Téllez, comendador de Trujillo* (A. H. N., Papeles del Clero regular, legajo 348). Era para que pagara cuatrocientos reales de plata doble al padre Alonso Hurtado, procurador de la Orden, en última instancia. A mitad de mayo le sustituyó el padre Velázquez como comendador de Trujillo.

1630.—Se encuentra en Toledo. A 25 de julio firma en dicha ciudad un documento referente a un censo en Mazarambroz y Mascaraque. Según Alvarez de Baena y el padre Hardá, este año publicó en Madrid su obra en verso *Acto de contrición.* Y escribe su libro *Deleitar aprovechando.*

1631.—18 de noviembre. Se hallaba en el convento de Toledo, según se acredita por el *Libro de visitas* de su Orden.

1632.—«Este año es memorable—escribe doña Blanca de los Ríos—en la biografía de Tirso por los honores que en él recibió como mercedario, por las obras que en él terminó y realizó y por la copia de noticias suyas que con esa fecha se conservan.»

a) Firma su *Deleitar aprovechando,* a 26 de febrero.

b) Signa una *Carta de rectificación,* a 9 de abril, sobre manda testamentaria de doña Jerónima de Herrera y Contreras.

c) Según Cotarelo, «en el mes de mayo de 1632 fue nombrado (fray Gabriel Téllez) cronista general de la Merced», interinamente, cargo que le fue confirmado en el Capítulo General celebrado en el Monasterio de Barcelona, a 3 de septiembre *(Historia de la Merced,* folios 392 y 396).

d) A 27 de noviembre, el Capítulo de la Orden Mercedaria, reunido en Guadalajara, nombró al maestro fray Gabriel Téllez Definidor de la provincia de León *(Actas de Capítulos,* B. N., folio 527).

e) Anota el padre Hornedo *(Razón y Fe,* mayo de 1940) que en el libro *Verdades para la vida cristiana,* escrito por el doctor Jerónimo de Alcalá (Valladolid, 1632), hay una décima de «el padre fray Gabriel Téllez, definidor general de la Orden de Nuestra Señora de la Merced, lector en Teología». Es definidor de Castilla.

f) En el libro editado dicho año por el doctor Juan Pérez de Montalbán, titulado *Para todos,* se lee: «El maestro fray Gabriel Téllez, presentado y comendador de la Orden de Nuestra Señora de la Merced, predicador, teólogo, poeta y siempre grande, ha impreso y escrito, con el nombre supuesto de Tirso de Molina, muchas comedias excelentísimas y los *Cigarrales de Toledo,* y tiene ahora para dar a la estampa unas novelas ejemplares, que con decir que son suyas quedan bastantemente alabadas y encarecidas.»

1634.—Publicó, un año antes que la segunda, la *Parte tercera de las comedias del maestro Tirso de Molina.* Recogidas por don Francisco de Lucas Avila, sobrino del autor. Tortosa, en la imprenta de Francisco Martorell, 1634. El tal sobrino parece un personaje ficticio y la crítica se inclina a creer que se trata del mismo Tirso, para evitar «tempestades y persecuciones envidiosas (que) procuraron malograr los honestos recreos de sus ocios», como allí se dice.

1635.—Muere Lope de Vega, y Téllez no colabora en la *Fama póstuma* en honor del «Fénix de los Ingenios». Cotarelo, siempre al quite, anota: «El erudito Barrera halla, y con razón, muy extraño que Tirso no escribiese ninguna composición a la muerte de Lope de Vega, ocurrida en 27 de agosto de 1635, cuando tantos poetas consagraron un recuerdo fúnebre a este gran ingenio, con el que parece haber mantenido el de la Merced amistosas relaciones.» Claro que también faltaban las firmas de Alarcón, Calderón, Jáuregui, Mira de Amescua, Quevedo y Rioja, entre otras notables.

Fray Gabriel está en Madrid, al menos algún tiempo, publicando la *segunda* y *cuarta* partes de sus *Comedias,* la primera en la Imprenta del Reino y la otra en la de María Quiñones.

1636.—Aparece asimismo en Madrid, y en la Imprenta Real, recogidas por el supuesto sobrino De Avila, la *quinta* parte o tomo de sus obras dramáticas. Cotarelo aclara en la página 72: «Cada una de estas *partes* consta de doce comedias, excepto la última, que sólo tiene once.»

Según el padre Penedo *(Arriba,* noviembre de 1949), Tirso «en 1636 elevó solicitud al Capítulo General de Murcia, recibiendo la patente (de maestro de la Orden) del general Dalmacio Sierra en el mismo año (11 de julio de 1636). Contaba Tirso de Molina al recibir tan alta distinción cincuenta y tres años; sólo diez había de gozarla, con hartos disgustos.»

1637.—El mismo Penedo Rey anota en el citado folletón anterior de *Arriba*, bajo el rubro de «Tirso de Molina, ¿legítimo, no natural?», que Su Santidad el Papa Urbano VIII le confirmó el magisterio al padre Téllez, otorgado por el Capítulo General de la Orden Mercedaria el año anterior en Murcia. El maestro supernumerario Gabriel sigue actuando como Cronista general de la Merced.

Hartzenbusch, en su *Catálogo razonado* de las obras dramáticas de Tirso (tomo V, B. de AA. EE.), dice que existía una comedia manuscrita del padre Téllez con el título de *Sutilezas del amor y marqués de Camarín,* fechada en Madrid a 1 de enero de 1637.

1638.—Lo últimamente apuntado y otras cosas que diremos echa por tierra el supuesto de los críticos del siglo XIX de que el *de Molina* había dejado de escribir para el teatro mucho antes, error que deshizo doña Blanca de los Ríos, quien escribe (III-39): «Es decir, que en 1637 Tirso ya no existía como autor dramático. Entonces, ¿quién fechó y firmó *Las Quinas de Portugal* en Madrid a 8 de marzo de 1638?» La Barrera anota que este manuscrito es autógrafo, y Cotarelo afirma que lo es, «a lo menos desde la hoja novena; se conserva, con la debida veneración y estima, en la sección de Manuscritos de nuestra Biblioteca Nacional». Esta es la última comedia tirsiana de que se tiene noticia documentada.

1639.—Fray M. Penedo, en su segundo folletón de *Arriba* (noviembre de 1949), escribe: «El 13 de enero de 1639 fue recibido por maestro de la provincia de Castilla. Asiste como tal por vez primera al Capítulo celebrado en Guadalajara en el octubre siguiente.»

A principios de este año escribió Tirso dos décimas, tituladas *Lágrimas panegíricas a la temprana muerte del gran poeta y teólogo, insigne doctor Juan Pérez de Montalbán,* Madrid, MDCXXXIX.

El 5 de febrero, firma la primera parte de su *Historia de la Merced,* autógrafa, diciendo: «Acabóse en esta celda del monasterio real de Madrid, a cinco días del mes de febrero de el año 1639, por el M.º Fr. Gabriel Téllez.»

A 14 de octubre, asiste como maestro de la provincia de Castilla al Capítulo de Guadalajara.

14 y 24 de diciembre de dicho año, firma la segunda parte de su *Historia de la Merced,* como cronista general de la Orden.

1640.—Asiste de nuevo como maestro de la provincia de Castilla a otro Capítulo de su Orden celebrado en la ciudad de Guadalajara.

Escribe y publica en Madrid su *Genealogía de la casa de Sástago.*

En septiembre de 1640 residían en el convento de la Merced, de Madrid, fray Marcos Salmerón y fray Gabriel Téllez, según el manuscrito del Archivo Histórico Nacional (Clero, Mercedarios Calzados, legajo 428) *Libro de visitas,* acta del 20 de septiembre de dicho año. Salmerón era enemigo «capital y personal de Téllez», según se declara por éste en el recurso de agravios contra el primero, visitador general de la Orden, que formuló sobre Tirso ciertos cargos «e lo demás que rresulta de sus averigüaciones e papeles de su bisita», por las causas y razones que le movieron «de hecho y sin ninguna justificación ni haber dado causa alguna para ello—escribe muy justificadamente el padre Penedo *(Estudios,* 1949)—a dar orden de que lo llevasen al convento de Cuenca», hecho injusto y violento, pues fue apresado y conducido en la forma que se desprende de las mismas palabras de fray Gabriel en su recurso: «Dio horden que me trujesen a este conbento de Cu[a].»

En 1946 descubrió el documento Carmen Lázaro, directora del Archivo Municipal de Cuenca. Se trata de una *carta poderfaciente* que el maestro fray Gabriel Téllez y el notario Baltasar de Pareja firmaron en la ciudad del Cáliz y la Estrella, a 17 de octubre de 1640. «En ella otorga el mercedario todo su poder a Diego de Avila, vecino de Madrid y agente (letrado) de negocios del duque de Alburquerque, para que, representándole personalmente ante el Nuncio de Su Santidad, fuese amparado por éste contra el padre Salmerón», pidiendo que se le imponga al venal visitador el castigo en que, por el Derecho canónico, hubiese incurrido. Es un poder general para todos los asuntos jurídicos y forenses del agraviado.

Aparte de la envidia e inquina personal de Salmerón a Tirso, aquél debió de basarse en la «existencia de un estado violento de cosas», en el cual Salmerón (vide Penedo) representaba el acatamiento servil al monarca y a su Gobierno, y Tirso de Molina el bando opuesto. Efectivamente, fray Marcos agitaba constantemente el incensario de sus ditirambos al rey, «aun reconociendo que su monarquía se iba cayendo a pedazos», con afán recusable de trepa, pues él mismo dice a Su Majestad que, entre otros servicios, «escriví una *Apología* que respondiese a los pocos afortunados sucessos de sus armas». Y, en cambio, Téllez había estampado recientemente en letras de molde *(Historia General de la Merced)* «una página sangrante acerca del Gobierno de Felipe IV, contrapuesto al pacífico y abundoso de su padre (tan querido de Tirso); una crítica hiriente de los advenedizos, ávidos de encumbrarse sobre los relieves de los consejeros del rey piadoso, a quien ellos mismos habían derrumbado». Esta censura mordaz, pero patriótica, debió ser lo que no gustó al adulón fray Marcos, que de forma tan poco noble había de lograr prebendas en la Corte y al final la mitra de Trujillo, en las Indias. Pero la Historia le hizo cumplida justicia al agraviado.

1641-42.—El abogado Diego de Avila, al no resultar cargo alguno de peso jurídico contra su defendido, que desde septiembre de 1639 sufría la notoria injusticia a que hemos aludido, apela al nuncio monseñor Facchineti, sobrino de Urbano VIII, para que si hubiese cometido algún delito, se le pruebe y castigue; pero si esto no se prueba (y no se probó), se le rehabilite públicamente y se le restituya a Madrid, castigando al visitador, que había vulnerado claramente las normas jurídicas.

Ante tal estado de cosas, el procurador debió de estrellarse contra el muro gubernamental y las circunstancias políticas del momento (véase *La España de Felipe IV,* por José Deleito Piñuela, Madrid, 1928), le darían buenas palabras y largas al asunto, para no hacerse ingratos al Poder que detentaban los favoritos, a pesar de que se trataba de un vulgar incidente monástico. El hecho cierto es, al menos documentalmente hoy, que Téllez se pasó cuatro años y tres meses y pico en el convento mercedario de Cuenca. En ellos no vuelve a sonar su nombre esclarecido, ahogado circunstancialmente por la malquerencia de sus poderosos enemigos, de los que hoy nadie apenas se acuerda, y, en cambio, resplandece con brillo inusitado el genio de Tirso.

1643.—1 de diciembre. Ultima noticia de la estancia de fray Gabriel Téllez en Toledo, pues su nombre figura en el *Libro de visitas* local. Según Schaeffer, Tirso de Molina vio publicadas por primera vez en Madrid, año 1643, sus obras *El condenado por desconfiado* y *Amor y celos hacen discretos,* que se incluyen en el volumen titulado «Comedias de diferentes autores». Si el año siguiente siguió viviendo en Toledo, Madrid o en otra parte, es cosa que por ahora desconocemos.

1645.—Aunque no existen pruebas documentales en las reuniones electivas de la Orden, puesto que el general de la misma era por entonces su enemigo personal Salmerón, es dato generalmente aceptado que Téllez debió ser nombrado *intra-capitulum* comendador de Soria en Guadalajara a 2 de octubre de 1645, Capítulo al que asistiría con voz y voto, pese a su rival, como maestro provincial de Castilla y cronista general de la Orden Mercedaria. Tardó meses en tomar posesión de su cargo, pues Penedo afirma en «1645, comendador del convento Mercedario de Soria» *(Estudios,* Madrid, 1949), que «cuando Téllez fue a gobernar su convento contaba alrededor de sesenta y dos años, y nada hace suponerle enfermo ni achacoso, antes el nombramiento reclama buena salud, para arrostrar primero la mortificación de la observancia regular y pleno dominio de sus facultades psíquicas». Esto parece evidente.

1646.—Existen cuatro pruebas irrefutables de la estancia de Tirso de Molina en Soria, tres de las cuales descubrió, comentó y publicó íntegras el marqués de Saltillo, don Miguel Lasso de la Vega, en su folleto *Tirso de Molina en Soria* (Zaragoza, 1939), y la cuarta la dio *La Ilustración Española y Americana* en mayo de 1883 (vide Cotarelo). Llevan las fechas de 12 de enero, 24 de abril, 15 de agosto y 5 de octubre de 1646. «En ellas otorga fray Gabriel arrendamientos y poderes, con la autoridad de su oficio de comendador de la casa».

Al evocar el padre Zamora Lucas, ilustre escritor soriano contemporáneo nuestro, a Téllez en el convento dicho, hace notar que llegó a la ciudad del Duero «en busca del silencio, soledad y reposo, tan bien ganados en su larga vida de religioso y escritor». Y añade luego: «Aquí ya no vive el Tirso de Molina, autor de comedias y graciosos entremeses; quedó allá en la Corte, manteado por críticos y envidiosos. Aquí reside el fraile mercedario, dando buen ejemplo de santidad y de doctrina; ya no escribe comedias, ni tiene trato con representantes ni escritores; aquí es el padre Gabriel Téllez, que administra su convento y lo reforma con solicitud de comendador de su Orden.» El convento soriano en que moró Tirso es Hospicio Provincial desde 1850, después de pasar por la infausta expropiación de Mendizábal en 1835.

Parece dudosa la noticia que da Nicolás Rabal de que mandó construir el camarín de Nuestra Señora de la Merced, con estas palabras: «Construido y pintado, al mismo tiempo que las bóvedas de la iglesia, por disposición del célebre comendador fray Gabriel Téllez, por otro nombre *Tirso de Molina.*»

1647.—Este abandona Soria y es nombrado definidor provincial de Castilla *extra-capitulum,* según puede verse en *El enigma biográfico de Tirso* (Madrid, 1928), en documento exhibido por doña Blanca de los Ríos, donde ya figura como comendador mercedario de Soria, a 31 de agosto, fray Luis de Miranda. Luego para esa fecha ya no lo era el molinés, «por haber renunciado a la encomienda, en fecha comprendida entre el 5 de octubre de 1646 y el 31 de agosto de 1647, para ocupar el cargo de definidor, por elección extra-capitular, en el que le sorprendió la muerte».

1648.—Almazán tuvo, según Florentino Zamora, «la triste dicha de acoger por huésped de honor en su convento al autor de los *Cigarrales* e historiador de la Orden Mercedaria en los últimos días de su vida terrena, cenobio que luego recogió y guardó los restos mortales del gran comendador fray Gabriel Téllez». Estaba situado a la salida de la villa, en la margen izquierda del Duero, y tenía capacidad para albergar unos veinte religiosos, disponiendo de una huerta en la ribera, aparte de muchas fincas en los pueblos comarcanos.

El catedrático don Andrés M. de Azagra, especializado en Letras—Filosofía, Genealogía e Historia—, en su magnífico ensayo «Almazán en tiempos de Tirso de Molina» (Madrid, 1949, *Ensayos),* se refiere al entronque tirsista con Almazán, «donde aún subsisten miembros de esa familia (los Téllez, procedentes de Molina), y concuerdan en sus rasgos fisionómicos con los que sabemos de Tirso por el retrato que se conserva (en la Biblioteca Nacional) y la descripción de su filiación cuando va a América. Estos actuales Téllez (de procedencia molinesa) son también *barbinegros,* con *frente elevada,* ojos grandes y oscuros, nariz aguileña, labio inferior algo grueso (belfo), etc., con cierto parecido, como han reconocido los que han cotejado aquel retrato con el de alguno de los actuales Téllez» molineses, una rama de los que se afincaron a partir del siglo XVI en Almazán, villa próxima a la hoy ciudad de Molina de Aragón. Y añade Azagra, que de este linaje «también hay Téllez en Milmarcos, pueblo cercano a Molina de Aragón, que, como Almazán, pertenecen al mismo obispado de Sigüenza—unidad geográfica de entonces y no meramente administrativa como la moderna de provincias—, y cuyo *pseudónimo del padre Téllez puede ser indicio de su oriundez*». Resalta este autor la dificultad de profesar en la Orden cuando taxativamente se señala que los profesados han de ser de filiación legítima, y aun pasada esta dificultad, de alguna manera excepcional de la que habría constancia en el Vaticano, el que no la haya tampoco al recibir tantos altos cargos en la misma, como provincial, comendador, maestro, cronista general y definidor, entre otros. Todo hace suponer que Gabriel Téllez, criado en Taravilla y Tierzo, era de ascendencia y linaje molinés. Lógicamente, aunque falten las pruebas documentales, todo lo abona.

Falleció «en fecha anterior y próxima al 24 de febrero de 1648, en el convento de la Merced, de Almazán, siendo definidor provincial, contando sobre sesenta y cinco años». Esto se prueba documentalmente con el *Libro de Misas* (hoy en el Archivo Histórico Nacional) del ya desaparecido convento que en Segovia tenía la Orden, en el que se lee: «*Missas dichas en fevrero de 1648.*» Debajo: «Requiescat in pace. Lunes 24. Se hizo el off° por el P. M.° Téllez, que murió en Almazán.»

Por su parte, el padre Hardá y Múxica, en su «Bibliotheca de Escritores Mercedarios», dice en latín, textualmente en versión castellana: «Fray Gabriel Téllez falleció en Almazán, siendo definidor de la provincia de Castilla, en el mes de febrero de 1648, colmado de años, dejando a la posteridad su buen olor de virtud y doctrina.»

Las ruinas de la iglesia de la Merced, de Almazán, deben de encerrar todavía las cenizas de Tirso. Esto es, más o menos, lo que se sabe de su vida. En esta relación de fechas sucesivas, quizá la más completa que se ha hecho correlativamente, hay lagunas que no se han podido llenar y que tal vez en el futuro se cubran con el hallazgo de nuevas pruebas documentales.

LA EPOCA

TIRSO DE MOLINA

(1584-1648)

Para tener una idea cierta del tiempo en que le tocó vivir al eminente mercedario fray Gabriel Téllez, basta con repasar lo que queda de las cuatrocientas obras que, según su propia confesión, escribió *Tirso de Molina,* pues, como dice doña Blanca de los Ríos, «quien quiera conocer la España de aquellos días asómese al teatro tirsista y en él hallará el vivir de su época: fiestas de toros, ostentaciones religiosas; acciones de guerra, como la que nos cuenta el alférez llegado de La Mamora; actos y grados académicos, romerías populares, saraos palacianos; calles, paseos, huertas, mentideros, mesones, casas de posadas, conventos, hasta lavaderos públicos: todas las escenas de la comedia humana. ¿Quién como Tirso nos ofrece, escena por escena, el vivir de aquel siglo en interiores, en paisajes, en retratos, en caricaturas insuperables?». Efectivamente, el teatro del poeta mercedario es como un claro espejo en que se refleja toda la España de su tiempo; diríase, añade, que lo midió con su sandalia andariega, contando «con fruición las leguas que separaban unos de otros pueblos, que conocía y en que situaba sus escenas, porque sus comedias están como vividas».

Es curioso anotar la coincidencia de fechas de nacimiento y muerte del gran escritor político don Diego de Saavedra Fajardo (1584-1648) con nuestro biografiado, circunstancia en la que nadie se fijó, al menos que nosotros sepamos.

Vamos a transcribir el telón de fondo histórico que le tocó vivir a Tirso de Molina. Durante el belicoso reinado de su padre, Felipe III aprendió a ser *pacífico* y consiguió este renombre con entera justicia. Procuró la paz de sus vasallos dentro y fuera de España, limitando su ambición a conservar los dominios que había heredado de sus progenitores. Con buen criterio reconocía que los laureles ceñidos por Felipe II y por Carlos V le habían costado a la monarquía sumas inmensas y mucha sangre. Porque nunca fue el poder español más dilatado ni estuvo el país más empobrecido, aun disponiendo de minas de oro y plata en Ultramar. Heredó un erario exhausto, por lo que supo que era menester paz y tiempo pada reparar las debilitadas fuerzas económicas de la Patria. A fin de subvenir a las necesidades más urgentes de la Corona, concedieron las Cortes al discreto monarca veintitrés millones sobre la octava del aceite y del vino. Luego este rey concluyó la paz con Inglaterra y ajustó una tregua de diez años con los Estados generales de las siete provincias unidas, aplicando toda su atención a conservar buenas relaciones diplomáticas con los países vecinos, particularmente con Francia. A pesar de que su padre dijo de él que «se temía que se lo iban a gobernar» y de que fue hombre cristiano hasta el extremo de que algún historiador, tan serio como Angel Salcedo Ruiz, dijo de él que no había cometido un solo pecado motal en toda su vida, y de que le tocó reinar muy joven para las graves tareas de un imperio en decadencia, de los veintiuno a los cuarenta años, la verdad es que supo portarse bien, aunque desbordado por las circunstancias. Verdad es que no tuvo las relevantes cualidades de sus antepasados—Fernando el Católico, Carlos V, Felipe II—, pero hay que reconocer en Felipe III honradez absoluta, piedad acrisolada y deseo de acierto en los graves problemas de gobierno, aun sin tener una inteligencia privilegiada. Piénsese en la enorme tarea que le tocó desempeñar, con un legado de inquietudes y de guerras en el ayer más cercano, lo cual supo valorar como nadie la inteligencia privilegiada de Gabriel Téllez. Los moriscos, aunque habían abrazado oficialmente la religión católica, causaban no pocas alteraciones; pero sus ministros se inclinaron siempre en favor de aquellos para que siguieran cultivando sus tierras y feudos. La emigración a las tierras feraces de América diezmaba al país, quedando muchos terrenos baldíos por falta de brazos en la Península. Al final se votó la expulsión de los moriscos, «saliendo de España en los primeros años del siglo XVII hasta unos novecientos mil moros de todos los sexos y edades». La intención era de pacificación, pero funesta en cuanto a fines económicos de la nación. Con la misma idea pacifista casó a su hija Ana de Austria con el rey de Francia Luis XIII, lo cual fue un gran tanto diplomático. Tuvo dos validos, el duque de Lerma, durante veinte años, y el duque de Uceda, hijo del anterior, el resto del reinado. Lerma era un gran señor, amigo de la magnificencia, fundador de iglesias, monasterios y cátedras universitarias, pero que malgastó su privanza sin percatarse de la trascendencia de su cometido ni de la decadencia que se iniciaba en el Imperio español. Uceda todavía valía menos. Sin embargo, fray Gabriel Téllez supo ser leal a la monarquía y gentes del reinado de Felipe III, cuando tantos que lo habían adulado en vida *chaqueteaban,* valga el vulgarismo por su claridad actual, y se acomodaban a la situación creada a la muerte del monarca en 31 de marzo de 1621. Su lealtad, entre tantos traidores y ambiciosos, entre los que se hallaba Quevedo, tuvo que pagarla Tirso de Molina bien cara, como siempre sucede. Parte de su gloria moral, en esto consiste, y era preciso decirlo para comprender las inicuas persecuciones y calumnias de que fue objeto. Su teatro de oposición al libertinaje de la Corte de Felipe IV y sus privados, entre los que destacaron el conde-duque de Olivares, figura omnipotente e inmoral en su tiempo, y su insignificante sucesor don Luis de Haro. Contra este estado de cosas cargó el insigne mercedario las más aceradas sátiras de su ingenio eminente, encargándose la Historia de hacerle justicia en su viril gesto.

Fue uno de los más intrigantes, en su deseo de acomodarse a la nueva situación con los validos de Felipe IV, don Francisco de Quevedo y Villegas, que redactó y publicó el infame panfleto contra *Tirso de Molina,* por su irreductible lealtad a la monarquía anterior, y por adulación a su flamante protector el de Olivares, titulado *El Chitón de las Taravillas,* aludiendo sin duda a los pueblos molineses de Taravilla, Tierzo y Cuevas Minadas, donde, al parecer, transcurrió la infancia de Gabriel Téllez. Para entenderlo así existen indicios sobrados en la tradición comarcal, en el linaje Téllez—netamente molinés—, en los historiadores del antiguo Señorío de Molina (como Núñez, López de la Torre y Malo, Portocarrero, etc.), y hasta en las obras del mercedario, una de las cuales sitúa su acción en Cuevas Minadas, a la que llama *Cuevas de Montalco* o de monte alto, describiendo su topografía, su etnia y su gea, cosa imposible para quien no hubiera vivido en esas aldeas desconocidas del alto Tajo. Taravilla es un pueblo de escaso vecindario, cuyo término limita con el de Peralejos de las Truchas, en la Muela Utiel, y casi en la misma desembocadura del río Cabrillas, segundo afluente del Tajo. Es la antigua *Tarabellan* o *Taravellum* de los romanos, en los confines de los obispados de la Valeriense y Ercávica, citados en la Itación de Wamba.

Aparte de Lope, Cervantes, Tirso, Ruiz de Alarcón y Pérez de Montalbán, vivían y escribían por aquel tiempo Vicente M. Espinel, Mateo Alemán, Baltasar Gracián, Luis Vélez de Guevara, los hermanos Argensola, Luis de Góngora, Esteban M. de Villegas, Jáuregui, Alcázar, Rioja, Rodrigo Caro, Andrade, Alonso de Ledesma, José de Valdivieso, Diego de Ojeda, sor Juana Inés de la Cruz, Guillén de Castro, Calderón de la Barca, Agustín Moreto, Rojas Zorrilla y el ilustre teólogo Luis de Molina, sin contar al polígrafo Bernardo Cienfuegos y al científico Alonso Barba, con su obra *El arte de los metales.*

SEMBLANZA LITERARIA

Para trazar la semblanza o retrato literario de Tirso de Molina, en un ambiente plenamente favorable a las artes y a las letras, como ya hemos visto, conviene recordar que la crítica le tiene como el que más «se aproxima a Lope de Vega por su fecundidad, variedad y riqueza, en sus cuatrocientas comedias que se dice escribió; tocó todos los géneros teatrales y tuvo una gran profundidad para los caracteres y una gran habilidad en las situaciones y manejo de los más diversos asuntos.»

En cuanto al retrato físico, que también interesa para tener una idea cabal del personaje, existe el conocidísimo de la Biblioteca Nacional de Madrid, que se cree es copia mandada hacer por su compañero de religión padre Hartalejo del cuadro original, cuyo autor y demás circunstancias se desconocen. No hace muchos años, el mercedario fray Gumersindo Placer descubrió otro retrato, mala copia del primero, en la ciudad de Santo Domingo, capital de la República Dominicana. Su descubridor nos dice: «Su parecido con la copia mandada hacer por el padre Hartalejo es tan grande que sólo dos pequeños detalles la diferencian. Las dimensiones del lienzo (sin el marco) son: 90 por 75 centímetros. Se lee la firma del autor, que es *O. Marín,* y aparece una fecha que no se puede registrar por estar muy borrosa.» Este lienzo perteneció a los mercedarios dominicanos, quienes al clausurar su convento lo depositaron en la iglesia de la Merced, regentada por padres capuchinos. Estos, al fundarse en 1910 un convento de Hermanas Mercedarias de la Caridad en la ciudad de Santiago de los Caballeros, se lo regalaron y allí se conserva. La copia del retrato de fray Gabriel Téllez que existe en la Biblioteca Nacional, fue hecha por el G. P. de Empere a finales del siglo XVIII. El autor de la absurda inscripción que lleva dicho retrato no fue pintor, sino un padre Miguel Antonio Rodríguez, que murió en 1771. Estas pinturas están de acuerdo con el testimonio y autenticidad indiscutible de la Cédula del Real Consejo de Indias, firmada por Felipe III a 23 de enero de 1616, que con sobriedad burocrática dice: «Fray Gabriel Téllez, predicador y letor, de edad de treynta y tres años, frente elebada, barbinegro.»

Hemos dicho que Tirso de Molina tiene el supremo don de crear tipos de carne y hueso, caracteres humanos, ambiente auténtico de su época, pues dio vida a una humanidad extraordinaria y abigarrada, entre otros personajes, de alcabaleros, oidores, alguaciles, pícaros, ganapanes, frailes, grandes damas, mujeres disfrazadas de hombre, dueñas, reinas, mozas del partido, escribanos, predicadores, monjas, letrados, estudiantes y pastores, en gama colorista desde lo más elevado a lo más rústico. A pesar de ello, nunca llegó a gozar de la enfervorecida admiración popular de que gozó Lope de Vega, figura que llegó casi a ser mítica en su tiempo. También le cabe la gloria inmarcesible de haber creado con *El convidado de piedra* la figura universal de *Don Juan Tenorio,* que es «el carácter más teatral que ha atravesado las tablas», sin contar la vigorosa creación de la reina doña María de Molina, en *La prudencia en la mujer,* y tantas obras que nunca envejecen. Como dice don Angel González Palencia, Tirso de Molina «tiene también un fuerte sentido histórico, llegando a hacer crónicas dramáticas al estilo de Shakespeare, y mucho mayor sentido dramático, realista, con su alegría franca y sincera, su intuición a la vez cómica y poética, del mundo, su ingenio picante, a veces irónico, su malicia candorosa y optimista».

De las cuatrocientas profundas, desenfadadas y sabrosas producciones, hoy se conocen las ochenta y tantas que recogió doña Blanca de los Ríos en los tres volúmenes de Aguilar, que es una valiosa edición crítica, y toda clase de estudios en torno a fray Gabriel Téllez y sus «Obras dramáticas completas».

Con respecto a la semblanza y al teatro de Tirso, a los que la citada autora dedicó su vida entera, acaba de decirse que sus obras cayeron en absoluto olvido en el siglo XVIII; mejor dicho, el nombre de su autor, pues «sus comedias pasaron las fronteras, tuvo imitadores y plagiarios, refundidores como Dionisio Solís, aunque seguía ignorándose la vida de Gabriel Téllez».

Los primeros críticos del mercedario fueron Agustín Durán, Juan Eugenio Hartzenbusch y Ramón Mesonero Romanos. El siglo XIX emborronó la biografía de Tirso de Molina con cuatro errores fundamentales que con clarividencia y un cabal conocimiento de la vida de nuestro personaje deshizo doña Blanca, documentándose en la *Historia de la Merced,* en los protocolos de Guadalajara y Toledo, en los *Libros de visitas,* en los autógrafos de la *Santa Juana,* en las comedias propias y en las alusiones más o menos satíricas, con su tinte de celillos y envidias, de los ingenios de su época. Su comentarista anota que «diríase que fray Gabriel Téllez fue un predestinado a la injusticia y al olvido, tocándole nacer entre dos colosos del arte que gozaron en vida la inmortalidad: Lope y Calderón». Para que nada faltara, el siglo XVIII, antiespañol y afrancesado, repulsó el teatro del Siglo de Oro y olvidó a Tirso de Molina, poniendo en escena obras de Racine, Voltaire, Molière, Grasset, Destouches y Moratín, con otra media docena de mediocres seguidores autóctonos, de los que hoy nadie se acuerda. «Durante aquel largo olvido de España—que señala el maestro don Marcelino Menéndez y Pelayo—, la fama y las comedias de fray Gabriel Téllez habían ido rebosando el terruño patrio», tierra donde se nace; pero aquí dormían el sueño de los justos, entrando a saco en la obra tirsista imitadores y plagiarios, algunos de la talla de Calderón, Rojas y Pérez de Montalbán.

Sigamos históricamente su silueta literaria, los avatares de sus obras y comedias, a través del tiempo, tal y como nos presenta el cuadro la señora de los Ríos. Le cupo al refundidor *Dionisio Solís* (Dionisio de Villanueva y Ochoa era su verdadero nombre), después de la Guerra de la Independencia, cuando nada se quería saber de influencias ni gustos franceses, la gloria de «desenterrar nuestras antiguas comedias y resucitar de tan largo y vergonzoso olvido el teatro y el nombre de Tirso de Molina». Los primeros comentaristas de la obra tirsista fueron Agustín Durán, en sus memorables artículos de *Talía Española,* especialmente sobre *El condenado por desconfiado* y *La prudencia en la mujer;* Juan Eugenio Hartzenbusch, en *Teatro escogido de fray Gabriel Téllez, conocido con el nombre de «El Maestro Tirso de Molina»*, en que estudia 86 producciones del excelso dramático, pues además de las treinta y seis comedias del tomo V de la Biblioteca de Autores Españoles reprodujo los artículos de Durán, Mesonero, Lista, Burgos, Martínez de la Rosa y Gil de Zárate, y doña Blanca añade en confirmación de cuanto decimos: Desde Durán, Hartzenbusch, Lista (impugnador y convertido), Mesonero Romanos (refundidor, apologista y entusiasta del fraile de la Merced) y Menéndez y Pelayo, a Cotarelo, colector e ilustrador benemérito de nuestro poeta, el prestigio de Tirso crecía, y la crítica adivinatoria del historiador de las *Ideas estéticas* le alzó a la suprema cumbre, entre Lope y Calderón. La crítica histórica fue perfilando el retrato biográfico y literario de Tirso de Molina, borrando para siempre los errores decimonónicos, como la disparatada suposición de Alvarez de Baena, que llevó a Téllez a nacer en 1570 y le metió fraile en 1620, afirmando que produjo su teatro siendo seglar; la errónea referencia del padre San Cecilio, que le hace volver desde Santo Domingo en 1625; la indocumentada y absurda inscripción del retrato, que trasladó su nacimiento a 1571 y fijó imaginariamente su muerte un

12 de marzo, a los setenta y seis años y cinco meses de edad, y la equivocada fecha de 1619, señalaba a la prelacía de Tirso en Trujillo (Cáceres), que se debe a Cayetano de la Barrera.

Como vemos, en el siglo xx es cuando empezó a dibujarse con seguros trazos la silueta tirsista, a hacerse la luz sobre su figura y su obra, siendo el esfuerzo principal en las aportaciones la denodada tarea de doña Blanca de los Ríos, pues esa es su gloria inmarcesible, exclusiva, ya que seguir explorando y ordenando después aspectos diversos, negativa o afirmativamente, es labor menos espinosa y, desde luego mucho más fácil y modesta. Cuando ella empezó estaba todo por hacer; que nadie lo olvide, por muy afortunado o presuntuoso que sea. Trazado el plano general de la vida y la obra de Gabriel Téllez, lo demás, con ser muy importante, es búsqueda y contraste de detalles, relleno paciente de lagunas. Lo de menos es que sea cierta o no la supuesta naturaleza madrileña de Tirso y su bastardía (en las que no creo, porque la lógica más elemental las rechaza). Doña Blanca es indiscutible reconstructora de la existencia del insigne mercedario y de la organización de sus obras, de las que tuvo un conocimiento cabal, como nadie. Es indudable que ese descomunal esfuerzo de tres cuartos de siglo tendrá sus fallos, pero la labor de conjunto es realmente prodigiosa, con búsquedas dificilísimas para una persona de edad avanzada.

Sostenida la fecha de 1584 en lo esencial, por el documento que registra su edad antes de embarcar para el Nuevo Mundo en 1616, es probable, como hemos repetido, que la infancia de Gabriel Téllez transcurriera en las serranías molinesas, que estudiara las primeras letras en las escuelas conventuales de Molina y que los estudios superiores transcurrieran en parte en la Universidad de Alcalá, aunque no hallamos una evidencia completa de los mismos, según dice el profesor universitario Gerald E. Wade *(Hispania,* New

York, 1949). Para este ilustre catedrático tirsista, la primera pieza dramática fue *El vergonzoso en palacio,* escrita en 1605; que interrumpió su actividad dramática el viaje y estancia en Santo Domingo, 1616-1618. Que la Junta de Reformación de Felipe IV le prohibió en 1625 escribir obras dramáticas o versos profanos, y anota Wade: «Hay muchas razones para creer que sólo era un arma usada contra él por los poderosos enemigos; como era, en efecto, un escritor atrevido y valiente, que lanzaba frecuentes ataques contra figuras poderosas a partir de 1621, Tirso parecía demasiado esforzado y expeditivo para ser pasado por alto; el destierro de Madrid (formando parte de la prohibición), fue de tal suerte que, con pequeñas intermitencias, había de llegar hasta el resto de su vida. No es probable que Tirso observara por largo tiempo la prohibición de escribir comedias (a pesar de la persecución de sus grandes enemigos para aniquilarle), aunque leyendo los prólogos de sus varias *partes* (o volúmenes) se echa de ver que necesitaba constantemente el favor de poderosos amigos para alcanzar la licencia de publicarlas; con el evidente retraso desde que las escribía hasta que las editaba, según afirma en la tercera parte de las mismas. Escribió más de cuatrocientas obras de teatro: comedias, tragedias; comedias de palacio, de capa y espada, de intriga, de historia, de leyenda, bíblicas, de vidas de santos y dramas sociológicos. «Su aptitud para lo cómico—señala Wade—, que no era capaz de evitar aun en las obras dramáticas más serias, no tenía rival, así como en su capacidad para crear caracteres, en especial de mujeres.»

Luego añade: «Como moralista, se le ve impulsado por una fuerza incontenible al ataque de todo fraude y corrupción, falta de sinceridad y gazmoñería, y sus invectivas contra la corrupción en gran escala fueron las responsables en gran manera de la prohibición que cayó sobre él en 1625. Poseía Tirso un abundante arsenal de conocimientos teológicos, como le fue reconocido oficialmente al ser favorecido con el grado de maestro por el Papa Urbano VIII, en 1637, y como puede verse, entre otras obras, en *El condenado por desconfiado*. Téngase en cuenta que en Santo Domingo explicó tres cursos de Teología, tarea docente y responsable, lo cual le valió para alcanzar la presentatura, concedida al comenzar el verano de 1618. Tirso de Molina vivió una vida de las más provechosas de su generación. En un tiempo en que los genios literarios abundaban en tan gran manera, sobresalió entre ellos y empleó gran parte de su genio en servicio de sus contemporáneos, bien directamente en los deberes para con su Orden, bien en muchas de sus obras dramáticas, en que desempeña un papel de reformador satírico, pues el tono moral de su época era muy bajo, siendo Téllez uno de los principales pensadores de la Edad de Oro.»

Después de haber ocupado los más altos cargos dentro de su religión, a 3 de septiembre de 1632, fray Gabriel Téllez fue nombrado cronista general de la Orden de la Merced, en el Capítulo celebrado en Barcelona, cuya historia escribió; era gran predicador y cultivó todos los géneros literarios.

Para Angel Valbuena Prat *(Historia de la literatura española,* II, 1937), al considerar a Tirso como poeta y prosista, dice que «entre las dotes principales que destacan en Téllez se halla el sentido del color. Por ejemplo, entre las muchas descripciones que sobre Toledo, desde Garcilaso a Cervantes y Mariana, acerca de la «peñascosa pesadumbre», de la cúspide de antiguos edificios, no se percibía el matiz colorista. Tirso, en cambio, da esta nota de la ciudad del Greco, de tierras rojizas. Poseyó también un gran valor como hablista, en prosa y verso. Muchos efectos cómicos proceden del dominio del idioma, de su habilidad ingeniosa para convertir los nombres en verbos, de su creación de palabras nuevas, de sacar todas las consecuencias de las semejanzas de sonido y sentido entre varias palabras. Era una alta inteligencia, un espíritu observador y un «virtuoso» de la literatura. A pesar de ser, esencialmente, un gran dramaturgo, dejó ejemplos de condiciones de novelista y cuentista, de historiador y aun de virtuoso lírico. Deberían estudiarse, por razones de estilo, obras de severo sentido de la historia que no merecen el injusto olvido en que se hallan. Como prosa literaria, descriptiva, novelística, Tirso dejó dos grandes colecciones que corresponden a dos momentos psicológicos diversos de la vida del autor: misceláneas en que al lado de los cuentos y narraciones aparecen poesías líricas y obras de teatro».

En fin, es ya inmensa la bibliografía publicada sobre Tirso de Molina, una de los más insignes escritores del Siglo de Oro, que anciano, achacoso y quizá desengañado, murió oscuramente en Almazán entre el 20 y el 24 de febrero de 1648.

OBRAS

De las cuatrocientas obras que confiesa fray Gabriel Téllez haber escrito, bajo el pseudónimo de *Tirso de Molina,* universalmente famoso, doña Blanca de los Ríos, hoy por hoy la máxima autoridad en los estudios tirsianos, recogió en los tres tomos de las OBRAS DRAMÁTICAS COMPLETAS, editadas por Aguilar en Madrid, ochenta y ocho piezas teatrales, por este orden:

TOMO PRIMERO

El colmenero divino.
La joya de las montañas.
El melancólico.
Cómo han de ser los amigos.
La elección por la virtud.
La república al revés.
El vergonzoso en palacio.
La mujer por fuerza.
La madrina del Cielo.
La mujer que manda en casa.
No le arriendo la ganancia.
El castigo del Penséque.
La Santa Juana.
Condesa bandolera.
La mejor espigadera.
Tanto es lo de más como lo de menos.
La dama del Olivar.
El celoso prudente o Al buen callar llaman Sancho.
Palabras y plumas.
Los amantes de Teruel.
Quien calla, otorga.
Quien habló, pagó.

Amor y celos, nacen secretos.
La vida y la muerte de Herodes.
Ventura te dé Dios, hijo.
Los hermanos fallecidos.
Don Gil de las Calzas Verdes.
Amar por señas.
La Peña de Francia.
El Aquiles.
Próspera fortuna de don Alvaro de Luna y adversa de Ruy López Dávalos.

TOMO SEGUNDO

Los lagos de San Vicente.
Mari-Hernández la gallega.
La villana de la Sagra.
El cobarde más valiente.
El pretendiente al revés.
Quien da luego, da dos veces.
María la piadosa.
El condenado por desconfiado.
¿Tan largo me lo fiáis...?
El Burlador de Sevilla o El Convidado de piedra.
Esto sí que es negociar.
La ninfa del Cielo.
La villana de Vallecas.
Doña Beatriz de Silva.
Cautela contra cautela.
El amor médico.
Averígüelo Vargas.
Amar por razón de Estado.
El honroso atrevimiento.
El mayor desengaño.
La romera de Santiago.
Del enemigo, el primer consejo.

Celos con celos se curan.
La fingida Arcadia.
La celosa de sí misma.

TOMO TERCERO

El rey don Pedro en Madrid o El infanzón.
La Reina de los Reyes.
Escarmiento para el cuerdo.
El Caballero de Gracia.
El árbol de mejor fruto.
La venganza de Tamar.
Antona García.
Siempre ayuda la verdad.
El Amor y el Amistad.
Por el sótano y el torno.
La huerta de Juan Fernández.
Trilogía de los Pizarros.
Todo es dar una cosa.
Amazonas de las Indias.
La lealtad contra la envidia.
Desde Toledo a Madrid.
Quien no cae, no se levanta.
La prudencia en la mujer.
La ventura con el nombre.
No hay peor sordo...
Privar contra su gusto.
Los balcones de Madrid.
Amar por arte mayor.
Habladme en entrando.
En Madrid y en una casa.
El laberinto de Creta.
Las Quinas de Portugal.
Bellaco sois, Gómez.
La firmeza en la hermosura.

Incluye también doña Blanca de los Ríos algunos otros autos sacramentales y alusiones a versos diferentes, obras en prosa y demás.

OBRAS NO DRAMATICAS DE TIRSO

Cigarrales de Toledo.
Los tres maridos burlados, novela, etc.
Deleitar aprovechando, leyendas y autos.
La Patrona de las Musas (vida de Santa Tecla).
Triunfos de la verdad (historias de San Clemente).
El bandolero (vida novelada de San Pedro Armengol).
Historia general de la Orden de la Merced (de 1570 a 1638).
Genealogía de la casa de Sástago (1640).
Vida de la santa madre doña María de Cerbellón.

Del resto de sus obras, en verso y en prosa, dramáticas y no dramáticas, se ignora todo en nuestros días.

CLASIFICACION GENERAL DE OBRAS

Hace muchos años ya, íbamos juntos de camino mi llorado y admirado amigo don Angel González Palencia, cara a las vacaciones estivales; él a sus posesiones de Santa Croche, en los bosques pinariegos de Albarración, y yo a mi feudo nativo, de la serranía de Molina, charlando sobre la posible naturaleza molinesa de Gabriel Téllez, cuando se me ocurrió preguntarle por una aceptable clasificación de las comedias de Tirso, puesto que el eminente catedrático había trillado el tema e incluso había prologado y preparado algunas ediciones tirsistas: «No tienes más que ojear la *Historia de la literatura española,* de Hurtado y mía, donde hallarás con detalle lo que deseas. Nos referimos allí, principalmente, a las obras de Tirso de Molina contenidas en los cinco volúmenes que se editaron en vida de su autor, entre 1627 y 1636.»

Ahora he recordado las palabras del maestro González Palencia y remito al lector a dicha obra, sexta edición, en cuyas páginas 586 a 596 hallará quien desee consultarla una cumplida referencia. Unicamente, a los autos sacramentales del padre Téllez, hay que agregar cuatro más a los que dichos tratadistas citan. Su clasificación, con la *adenda* mía, es como sigue:

Autos sacramentales, más o menos		*El laberinto de Creta.* *La madrina del cielo.* *No le arriendo la ganancia.* *Los hermanos fallecidos.*
Comedias religiosas...	*a)* Bíblicas	*La mejor espigadera.* *La venganza de Tamar.* *La vida de Herodes.*
	b) Comedias sobre leyendas y tradiciones devotas ...	*El condenado por desconfiado.* *El Caballero de Gracia.*
	c) De santos	*La Santa Juana,* tres partes. *Los lagos de San Vicente.* *La elección por la virtud.*
Comedias históricas.	*d)* Crónicas y leyendas dramáticas ...	*La joya de las montañas.* *El cobarde más valiente.* *La reina de los reyes.* *La prudencia en la mujer.* *Próspera fortuna de don Alvaro de Luna.* *Adversa fortuna de don Alvaro de Luna.* *Las Quinas de Portugal.*

Comedias de costumbres	e) Comedia de carácter	*Marta la piadosa.*
	f) Antecedente del proverbio dramático moderno	*El amor y la amistad.*
	g) Comedia palaciega	*El vergonzoso en palacio.*
	h) Comedias de intriga y enredo	*Don Gil de las Calzas Verdes.* *La huerta de Juan Fernández.* *El amor médico.* *Por el sótano y el torno.* *Desde Toledo a Madrid.* *Los balcones de Madrid.* *En Madrid y en una casa.*
	i) Comedias villanescas	*La villana de Vallecas.* *La villana de la Sagra.* *La gallega Mari Hernández.*
Comedia fantástica y de carácter	j)	*El burlador de Sevilla o El convidado de piedra.*
Comedias tomadas de novelas	k) De novelas italianas	*Palabras y plumas.* *Los amantes de Teruel.*

Como vemos, no se trata más que de unos cuantos botones de muestra en la gran producción tirsista en cuanto a teatro, para el que llegó a escribir, como ya dijimos, unas cuatrocientas obras, de las que tenemos conocimiento de noventa y tantas.

PRINCIPALES EDICIONES

No es posible, y además estaría fuera de lugar en un libro de esta naturaleza, dar las infinitas ediciones parciales conocidas de las obras del maestro TIRSO DE MOLINA, todas las que han merecido sus creaciones dramáticas al correr de los siglos, por lo que nos limitamos a citar algunas importantes, siguiendo un orden cronológico como en la biografía.

1621.—*Cigarrales de Toledo,* conteniendo «El vergonzoso en palacio», «Cómo han de ser los amigos», El celoso prudente», «Los tres maridos burlados» y «Don Juan de Salcedo».

Madrid, 1621.

Nota.—Además de la edición, reputada por falsa, de 1624, existe otra madrileña de 1630, y la de Barcelona de 1631.

1624.—*Décima de Tirso de Molina,* que empieza: «León, tu cristiano celo, — en útil razón de Estado...» Va inserta en el volumen «Oficio del príncipe cristiano del cardenal Belarmino, traducida del latín en castellano», por Francisco de León Suárez.

Madrid, imprenta Juan González, 1624.

1625.—*Dos poemas de Tirso de Molina,* en el libro de Lope «Relación de las fiestas que la insigne villa de Madrid hizo en la canonización de San Isidro».

Madrid, 1625.

1627.—*Primera parte de las comedias del maestro Tirso de Molina.*

Sevilla, Francisco de Lyra, 1627.

1630.—*Acto de contricción,* en verso.
Madrid, 1630.

1631.—*Primera parte de las comedias del maestro Tirso de Molina.* Segunda edición.
Valencia, por Pedro Patricio Mey, 1631.

1634.—*Parte tercera de las comedias del maestro Tirso de Molina.* Recogidas por don Francisco Lucas de Avila, sobrino del autor.
Tortosa, en la imprenta de Francisco Martorell, 1634. (Se editó antes que la segunda parte, como vemos.)

1635.—*Segunda parte de las comedias del maestro Tirso de Molina.* Recogidas por su sobrino don Francisco Lucas de Avila.
Madrid, en la Imprenta del Reino, 1635.

1635.—*Quarta parte de las comedias del maestro Tirso de Molina.* Recogidas por don Francisco Lucas de Avila, sobrino del autor.
Madrid, por María de Quiñones, 1635.

1636.—*Quinta parte de las comedias del maestro Tirso de Molina.* Recogidas por don Francisco de Avila (omite el Lucas), sobrino del autor.
Madrid, en la Imprenta Real, 1636.

1639.—*Deleytar aprovechando,* que contiene «El colmenero divino», «Los hermanos parecidos», «No la arriendo la ganancia», «La patrona de las musas», «Los triunfos de la verdad» y «El bandolero».
Madrid, 1639. (Se hizo otra edición en 1677.)

1639.—*Historia general de la Orden de la Merced.*
Madrid, 1639.

1639.—*Dos décimas de Tirso de Molina,* insertas en la obra «Lágrimas panegíricas a la temprana muerte del gran poeta i teólogo, insigne doctor Juan Pérez de Montalbán», por Juan Grande de Tena.
Madrid, 1639.

1640.—*Genealogía de la casa de Sástago.*
Madrid, 1640.
Nota.—La citan el padre Hardá Múgica y Alvarez de Baena.

1640.—*Amor y celos hacen discretos,* comedia inserta en el tomo titulado «Comedias de diferentes autores», según Schaeffer.
Madrid, 1640.

1640.—*Epitafio al sepulcro del gran condestable.* Décima de Tirso de Molina, inserta en el volumen «Vida y hechos del gran condestable de Portugal, S. Nuño Alvarez Pereyra», por Rodrigo de Silva.
Madrid, 1640.

1647.—*El estudiante que se va a acostar.* Entremés en verso.
Madrid, 1647.

1664.—*Nuestra Señora del Rosario, la madrina del Cielo.* Auto sacramental.
Madrid, 1664.

1667.—*Amar por señas,* incluida en el volumen antológico de «Comedias escogidas».
Madrid, 1667.

1736.—*Segunda parte de las comedias verdaderas del maestro Tirso de Molina.*
Madrid, por Guzmán, 1736.

1785.—*Los alcaldes encontrados,* inserta en la recopilación antológica «Theatro Hespañol». García de la Huerta, editor.
Madrid, 1785.

1826-1834.—*Comedias escogidas del maestro Tirso de Molina.* Cuatro tomos.
Madrid, imprenta de Ortega y C.ª, 1826-1834.

1834.—*Talla española o colección de dramas del antiguo teatro español,* ordenada y recopilada por don Agustín Durán. Incluye obras de Tirso de Molina.
Madrid, Eusebio Aguado, 1834.

1839-1842.—*Teatro escogido de fray Gabriel Téllez, conocido con el nombre de el «Maestro Tirso de Molina».* Con apuntes biográficos de A. Durán. Edición J. E. Hartzenbusch. Doce tomos, en 8.º
Madrid, en la imprenta de Yenes, 1839-1842.

1847.—*Los tres maridos burlados,* novela de Tirso de Molina, inserta en «Tesoro de Novelistas Españoles», por E. de Ochoa y Rona.
París, 1847.

Nota.—Existe otra edición de la misma, por Cayetano Rosell y López, recogida en «Novelistas posteriores a Cervantes», tomos XVII y XXXIII de la Biblioteca de Autores Españoles. Madrid, 1851-1854.

1848.—*Cuentos, fábulas, descripciones, diálogos, máximas y apotegmas, epigramas y dichos agudos en sus obras,*

con un discurso crítico, por Ramón de Mesonero Romanos.
Madrid, 1848.

1848.—*Comedias escogidas de Tirso de Molina,* por J. Eugenio Hartzenbusch.
Madrid, Rivadeneyra, 1848.

1850.—*Comedias escogidas de Tirso de Molina,* por Juan Eugenio Hartzenbusch. (Incluye 36 obras.) Tomo V de la Biblioteca de Autores Españoles.
Madrid, 1850.

1865.—*Austos sacramentales,* incluidos en el tomo LVIII de la Biblioteca de Autores Españoles. González Pedroso, editor.
Madrid, 1865.

1878.—*Comedias de Tirso de Molina y de don Guillén de Castro.*
Madrid, imprenta Fortanet, 1878.

1896.—*Loa al nacimiento del Príncipe de España,* compuesta por fray Gabriel Téllez. Inserta en la obra «Grandiosas fiestas que en la Corte se hicieron a la entrada del señor príncipe de Guastala...»
Sevilla, 1896.

1906-1907.—*Comedias de Tirso de Molina.* Colección ordenada e ilustrada por don Emilio Cotarelo y Mori. Dos volúmenes, con 45 comedias. Tomos IV y IX de la Nueva Biblioteca de Autores Españoles.
Madrid, Bailly-Baillière e Hijos, 1906-1907.

1908-1909.—*Epítome de la vida de Santa María de Cervellón.* Editada y comentada por don Marcelino Me-

néndez y Pelayo. Separata de la «Revista de Archivos, Bibliotecas y Museos».
Madrid, años 1908-1909.

1909.—*Entremeses del siglo XVII atribuidos al maestro Tirso de Molina.* Edición Mantuano.
Madrid, imprenta de B. Rodríguez, 1909.

1913.—*Los Cigarrales de Toledo,* conteniendo las cinco piezas en que lo dividió Tirso de Molina. Edición Renacimiento, 384 págs. en 8.º
Madrid, Víctor Sáiz Armesto, 1913.

1914.—*Las obras maestras al alcance de los niños. Historias de Tirso de Molina,* relatadas a los niños por María Luz Morales.
Barcelona, 1914.

1928.—*Los Cigarrales de Toledo.* Colección Universal de Espasa-Calpe, S. A.
Madrid, 1928.

1922.—*Tirso de Molina. El vergonzoso en Palacio, El burlador de Sevilla.* Edición, prólogo y notas de Américo Castro.
Clásicos Castellanos. Madrid, 1922.

1930.—*Vida de Santa María de Cervellón.* Edición del duque de Fernán Núñez, conde de Cervellón.
Madrid, Rivadeneyra, 1930.

1944.—*Tirso de Molina.* Contiene resúmenes de sus obras principales. Prólogo, selección y notas de Juan Anto-

nio Tamayo. Ed. del Consejo Superior de Investigaciones Científicas.
Madrid, 1944.

1946.—*Tirso de Molina* (Fray Gabriel Téllez). «Obras dramáticas completas». Edición crítica y estudios por Blanca de los Ríos. Tomo I, 2.080 págs. en 4.°, papel biblia. Editorial M. Aguilar.
Madrid, 1946.

1947.—*Comedias,* II, de Tirso de Molina. Edición preparada por Alonso Zamora y Vicente y María Josefa Canellada de Zamora. Clásicos Castellanos, núm. 131.
Madrid, 1947.

1952.—*Tirso de Molina* (fray Gabriel Téllez, 1584-1648). «Obras dramáticas completas». Edición crítica por Blanca de los Ríos. Tomo II, 1.548 págs. en 4.° papel biblia. Aguilar, S. A. de Ediciones.
Madrid, 1952.

1958.—*Tirso de Molina* (fray Gabriel Téllez, 1584-1648). «Obras dramáticas completas». Edición crítica por Blanca de los Ríos. Tomo III, 1.443 págs. en 4.°, en papel biblia. Aguilar, S. A. de Ediciones.
Madrid, 1958.

ANTOLOGIA

EL CONDENADO POR DESCONFIADO

JORNADA PRIMERA

Selva, dos grupos entre elevados peñascos

ESCENA I

PAULO *(De ermitaño.)*

¡Dichoso albergue mío!
Soledad apacible y deleitosa,
que en el calor y el frío
me dais posada en esta selva umbrosa,
donde el huésped se llama
o verde yerba, o pálida retama.
Agora, cuando el alba
cubre las esmeraldas de cristales,
haciendo al sol la salva,
que de su coche sale por jarales,
con mano de luz pura,
quitando sombra de la noche oscura,
salgo de aquesta cueva
que en pirámides altos de estas peñas
naturaleza eleva,
y a las errantes nubes hace señas
para que noche y día,
ya que no otra, le hagan compañía.
Salgo a ver este cielo,
alfombra azul de aquellos pies hermosos.
¿Quién, ¡oh celeste velo!,
aquesos tafetanes luminosos
rasgar pudiera un poco
para ver?... ¡Ay de mí! Vuélvome loco.

Mas ya que es imposible,
y sé cierto, Señor, que me estáis viendo
desde ese inaccesible
trono de luz hermoso, a quien sirviendo
están ángeles bellos,
más que la luz del sol hermosos ellos,
mil gracias quiero daros
por las mercedes que me estáis haciendo
sin saber obligaros.
¿Cuándo yo merecí que del estruendo
me sacarais del mundo,
que es umbral de las puertas del profundo?
¿Cuándo, Señor divino,
podrá mi indignidad agradeceros
el volverme al camino,
que, si no lo abandono, es fuerza el veros,
y tras esa victoria,
darme en aquestas selvas tanta gloria?
Aquí los pajarillos,
amorosas canciones repitiendo
por juncos y tomillos,
de Vos me acuerdan, y yo estoy diciendo:
«Si esta gloria da el suelo,
¿qué gloria será aquella que da el cielo?»
Aquí estos arroyuelos,
jirones de cristal en campo verde,
me quitan mis desvelos,
y son causa a que de Vos me acuerde.
Tal es el gran contento
que infunde el alma (con) su solo acento.
Aquí silvestres flores
el fugitivo viento aromatizan,
y de varios colores
aquesta vega humilde fertilizan.
Su belleza me asombra:
calle el tapete y berberisca alfombra.
Pues con estos regalos,
con aquestos contentos y alegrías,

¡bendito seas mil veces,
inmenso Dios, que tanto bien me ofreces!
Aquí pienso servirte,
ya que el mundo dejé para bien mío;
aquí pienso seguirte,
sin que jamás humano desvarío,
por más que abra la puerta
el mundo a sus engaños, me divierta.
Quiero, Señor divino,
pediros de rodilla humildemente
que en aqueste camino
siempre me conservéis piadosamente.
Ved que el hombre se hizo
de barro vil, de barro quebradizo.
(Entra en una de las grutas.)

ESCENA II

PEDRISCO *(Trayendo un haz de leña.)*

Como si fuera borrico,
vengo de yerba cargado,
de quien el monte está rico;
si esto como, ¡desdichado!,
triste fin me pronostico.
¡Que he de comer hierba yo,
manjar que el cielo crió
para brutos animales!
Déme el cielo en tantos males
paciencia. Cuando me echó
mi madre al mundo, decía:
«Mis ojos santo te vean,
Pedrisco del alma mía.»
Si esto las madres desean,
una suegra y una tía
¿qué desearán? Que aunque el ser
santo un hombre es gran ventura,

es desdicha el no comer.
Perdonad esta locura
y este loco proceder,
mi Dios; y pues conocida
ya mi condición tenéis,
no os enojéis porque os pida
que la hambre me quitéis,
o no sea santo en mi vida.
Y si puede ser, Señor,
pues que vuestro inmenso amor
todo lo imposible doma,
que sea santo y que coma,
mi Dios, mejor que mejor.
De mi tierra me sacó
Paulo diez años habrá,
y a aqueste monte apartó;
él en una cueva está,
y en otra cueva estoy yo.
Aquí penitencia hacemos
y sólo yerbas comemos,
y a veces nos acordamos
de lo mucho que dejamos
por lo poco que tenemos.
Aquí, al sonoro raudal
de un despeñado cristal,
digo a estos olmos sombríos:
«¿Dónde estáis, jamones míos,
que no os doléis de mi mal?
Cuando yo solía cursar
la ciudad, y no las peñas
(¡memorias me hacen llorar!),
de las hambres más pequeñas,
gran pesar solíais tomar.
Erais, jamones, leales;
bien os puedo así llamar,
pues merecéis nombres tales,
aunque ya de los mortales
no tengáis ningún pesar.

Mas ya está todo perdido;
yerbas comeré afligido,
aunque llegue a presumir
que algún mayo he de parir
por las flores que he comido.
Mas Paulo sale de la cueva oscura;
entrar quiero en la mía tenebrosa,
y a comerlas allí.

(Vase.)

ESCENA III

PAULO

¡Qué desventura!
¡Y qué desgracia, cierta, lastimosa!
El sueño me venció, viva figura
(por lo menos imagen temerosa)
de la muerte cruel, y al fin, rendido,
la devota oración puse en olvido.
Siguióse luego al sueño otro, de suerte,
sin duda, que a mi Dios tengo enojado,
si no es que acaso el enemigo fuerte
haya aquesta ilusión representado.
Siguióse al fin, ¡ay Dios!, de ver la muerte.
¡Qué espantosa figura! ¡Ay desdichado!
Si al verla en sueño causa tal quimera,
el que vivo la ve, ¿qué es lo que espera?
Tiróme el golpe con el brazo diestro;
no cortó la guadaña; el arco toma:
la flecha en el derecho, en el siniestro
el arco miro que altiveces doma;
tiróme al corazón; yo que me muestro
al golpe herido, porque al cuerpo coma
la madre tierra, como a su despojo,
desencarcelo el alma, el cuerpo arrojo.
Salió el alma en un vuelo, en un instante
vi de Dios la presencia. ¡Quién pudiera

no verle entonces! ¡Qué cruel semblante!
Resplandeciente espada y justiciera
en la derecha mano y arrogante
(como ya por derecho suyo era),
el fiscal de las almas miré a un lado,
que aun con ser victorioso estaba airado.
Leyó mis culpas, y mi guarda santa
leyó mis buenas obras, y el Justicia
mayor del cielo que es aquel que espanta
de la infernal morada la malicia,
las puso en dos balanzas; mas levanta
el peso de mi culpa y mi injusticia
mis obras buenas, tanto, que el Juez Santo
me condena a los reinos del espanto.
Con aquella fatiga y aquel miedo
desperté, aunque temblando, y no vi nada
si no es mi culpa, y tan confuso quedo,
que si no es a mi suerte desdichada,
o traza del contrario, ardid o enredo,
que vibra contra mí su ardiente espada,
no sé a qué lo atribuya. Vos, Dios santo,
me declarad la causa de este espanto.
¿Heme de condenar, mi Dios divino,
como ese dueño dice, o he de verme
en el sagrado alcázar cristalino?
Aqueste bien, Señor, habéis de hacerme,
¿qué fin he de tener? Pues un camino
sigo tan bueno, no queráis tenerme
en esta confusión, Señor eterno.
¿He de ir a vuestro cielo o al infierno?
Treinta años de edad tengo, Señor mío,
y los diez he gastado en el desierto,
y si viviera un siglo, un siglo fío
que lo mismo ha de ser: esto os advierto.
Si esto cumplo, Señor, con fuerza y brío,
¿qué fin he de tener? Lágrimas vierto.
Respondedme, Señor, Señor eterno.
¿He de ir a vuestro cielo o al infierno?

ESCENA IV

EL DEMONIO, *que aparece en lo alto de una peña*

DEMONIO *(Invisible para* PAULO.)

Diez años ha que persigo
a este monje en el desierto,
recordándole memorias
y pasados pensamientos;
y siempre le he hallado firme,
como un gran peñasco opuesto.
Hoy duda en su fe, que es duda
de la fe lo que hoy ha hecho,
porque es la fe en el cristiano
que sirviendo a Dios y haciendo
buenas obras ha de ir
a gozar de El en muriendo.
Este, aunque ha sido tan santo,
duda de la fe, pues vemos
que quiere del mismo Dios,
estando en duda, saberlo.
En la soberbia también
ha pecado; caso es cierto.
Nadie como yo lo sabe,
pues por soberbio padezco.
Y con la desconfianza
le ha ofendido, pues es cierto
que desconfía de Dios
el que a su fe no da crédito.
Un sueño la causa ha sido;
y el anteponer un sueño
a la fe de Dios, ¿quién duda
que es pecado manifiesto?
Y así me ha dado licencia
el juez más supremo y recto,
para que con mis engaños
le incite agora de nuevo.

Sepa resistir valiente
los combates que le ofrezco,
para luego desconfiar
y ser como yo, soberbio.
Su mal ha de restaurar
de la pregunta que ha hecho
a Dios, pues a su pregunta
mi nuevo engaño prevengo.
De ángel tomaré la forma,
y responderé a su intento
cosas que le han de costar
su condenación si puedo.

(Déjase ver en figura de ángel.)

PAULO

¡Dios mío!, aquesto os suplico.
¿Salvaráme Dios inmenso?
¿Iré a gozar vuestra gloria?
Que me respondáis espero.

DEMONIO

Dios, Paulo, te ha escuchado,
y tus lágrimas ha visto.

PAULO *(Aparte.)*

¡Qué mal el temor resisto!
Ciego en mirarlo he quedado.

DEMONIO

Me ha mandado que te saque
de esa ciega confusión,
por que esa vana ilusión
de tu contrario se aplaque.
Ve a Nápoles; y a la puerta
que llaman allá del Mar,

que es por donde tú has de entrar
a ver tu ventura cierta
o tu desdicha verás
cerca de allá (estáme atento)
un hombre...

PAULO

¡Qué gran contento
con tus razones me das!

DEMONIO

Que Enrico tiene por nombre,
hijo del noble Anareto.
Conocerásle, en efeto,
por señas: que es gentilhombre,
alto de cuerpo y gallardo.
No quiero decirte más,
porque apenas llegarás
cuando le veas.

PAULO

Aguardo
lo que le he de preguntar
cuando le llegare a ver.

DEMONIO

Sólo una cosa has de hacer.

PAULO

¿Qué he de hacer?

DEMONIO

Verle y callar,
contemplando sus acciones,
sus obras y sus palabras.

PAULO

En mi pecho ciego labras
quimeras y confusiones.
¿Sólo eso tengo que hacer?

DEMONIO

Dios que en él repares quiere,
porque el fin que aquél tuviere,
ese fin has de tener.

(Desaparece.)

PAULO

¡Oh misterio soberano!
¿Quién este Enrico será?
Por verle me muero ya.
¡Qué contento estoy, qué ufano!
Algún divino varón
debe de ser, ¿quién lo duda?

(Sale PEDRISCO.*)*

PEDRISCO *(Aparte.)*

Siempre la fortuna ayuda
al más flaco corazón.
Lindamente he manducado,
satisfecho quedo ya.

PAULO

¡Pedrisco!

PEDRISCO

A esos pies está
mi boca.

PAULO

A tiempo has llegado.
Los dos habemos de hacer
una jornada al momento.

PEDRISCO

Brinco y salto de contento.
Mas ¿dónde, Paulo, ha de ser?

PAULO

A Nápoles.

PEDRISCO

¿Qué me dice?
¿Y a qué, padre?

PAULO

En el camino
sabrá un paso peregrino:
¡Plegue a Dios que sea felice!

PEDRISCO

¿Si seremos conocidos
de los amigos de allá?

PAULO

Nadie nos conocerá,
que vamos desconocidos
en el traje y en la edad.

PEDRISCO

Diez años ha que faltamos.
Seguros pienso que vamos;
que es tal la seguridad
de este tiempo, que en una hora
se desconoce el amigo.

PAULO

¡Vamos!

PEDRISCO

¡Vaya Dios conmigo!

PAULO

De contento el alma llora.
A obedeceros me aplico,
mi Dios; nada me desmaya,
pues vos me mandáis que vaya
a ver al dichoso Enrico.
¡Gran santo debe de ser!
Lleno de contento estoy.

PEDRISCO

Y yo, pues contigo voy.
No puedo dejar de ver,

(Aparte.)

pues que mi bien es tan cierto
con tan alta maravilla,
el bodegón de Juanilla
y la taberna del Tuerto.

(Vanse.)

ESCENA V

DEMONIO

Bien mi engaño va trazado.
Hoy verá el desconfiado
de Dios y de su poder
el fin que viene a tener,
pues él propio lo ha buscado.

(Vase.)

EL BURLADOR DE SEVILLA Y CONVIDADO DE PIEDRA

JORNADA PRIMERA

ESCENA I

Salen Don Juan Tenorio *e* Isabela, *duquesa*

Isabela

Duque Octavio, por aquí
podrás salir más seguro.

Don Juan

Duquesa, de nuevo os juro
de cumplir el dulce sí.

Isabela

¿Mis glorias serán verdades,
promesas y ofrecimientos,
regalos y cumplimientos,
voluntades y amistades?

Don Juan

Sí, mi bien.

Isabela

Quiero sacar
una luz.

Don Juan

Pues ¿para qué?

ISABELA

Para que el alma dé fe
del bien que llego a gozar.

DON JUAN

Mataréte la luz yo.

ISABELA

¡Ah cielo! ¿Quién eres, hombre?

DON JUAN

¿Quién soy? Un hombre sin nombre.

ISABELA

¿Que no eres el duque?

DON JUAN

No.

ISABELA

¡Ah de palacio!

DON JUAN

Detente.
Dame, duquesa, la mano.

ISABELA

No me detengas, villano.
¡Ah del rey; soldados, gente!

ESCENA II

Sale el REY DE NÁPOLES *con una vela en un candelero*

REY

¿Qué es esto?

ISABELA

¡El rey! ¡Ay triste!

REY

¿Quién eres?

DON JUAN

¿Quién ha de ser?
un hombre y una mujer.

REY *(Aparte.)*

Esto en prudencia consiste.
(Alto.)
¡Ah de mi guarda! Prended
a este hombre.

ISABELA

¡Ay perdido honor!
(Vase ISABELA.)

ESCENA III

Dichos, menos ISABELA. *Salen* DON PEDRO TENORIO, *embajador de España, y la Guarda*

DON PEDRO

¡En tu cuarto, gran señor,
voces! ¿Quién la causa fue?

REY

Don Pedro Tenorio, a vos
esta prisión os encargo.
Siendo corto, andad vos largo;
mirad quién son estos dos.
Y con secreto ha de ser,
que algún mal suceso creo,
porque, si yo aquí lo veo,
no me queda más que ver.
(Vase.)

ESCENA IV

DON PEDRO, DON JUAN *y la Guarda*

DON PEDRO

Prendedle.

DON JUAN

¿Quién ha de osar?
Bien puedo perder la vida;
mas ha de ir tan bien vendida
que a alguno le ha de pesar.

DON PEDRO

¡Matadle!

DON JUAN

¿Quién os engaña?
Resuelto en morir estoy,
porque caballero soy
del embajador de España.
Llegue, que sólo ha de ser
él quien me rinda.

DON PEDRO

Apartad;
a ese cuarto os retirad
todos con esa mujer.

ESCENA V

DON PEDRO *y* DON JUAN

DON PEDRO

Ya estamos solos los dos;
muestra aquí tu esfuerzo y brío.

DON JUAN

Aunque tengo esfuerzo, tío,
no le tengo para vos.

DON PEDRO

Di quién eres.

DON JUAN

Ya lo digo:
tu sobrino.

DON PEDRO *(Aparte.)*

¡Ay corazón!
¡Que temo alguna traición!
(Alto.)
¿Qué es lo que has hecho, enemigo?
¿Cómo estás de aquesa suerte?
Dime presto lo que ha sido.
¡Desobediente, atrevido!...
Estoy por darte la muerte.
Acaba.

DON JUAN

Tío y señor,
mozo soy y mozo fuiste,
y pues que de amor supiste,
tenga disculpa mi amor.
Y pues a decir me obligas
la verdad, oye y diréla:
yo engañé y gocé a Isabela,
la duquesa.

DON PEDRO

No prosigas;
tente. ¿Cómo la engañaste?
Habla quedo o cierra el labio.

DON JUAN

Fingí ser el duque Octavio.

DON PEDRO

No digas más, calla, baste.
(Aparte.)
Perdido soy si el rey sabe
este caso. ¿Qué he de hacer?
Industria me ha de valer
en un negocio tan grave.
(Alto.)
Di, vil: ¿no bastó emprender,
con ira y con fuerza extraña,
tan gran traición en España
con otra noble mujer,
sino en Nápoles también
y en el palacio real,
con mujer tan principal?
¡Castíguete el cielo, amén!
Tu padre desde Castilla

a Nápoles te envió,
y en sus márgenes te dio
tierra la espumosa orilla
del mar de Italia, atendiendo
que el haberte recibido
pagarás agradecido,
¡y estás su honor ofendiendo,
y en tan principal mujer!
Pero en aquesta ocasión
nos daña la dilación;
mira qué quieres hacer.

DON JUAN

No quiero daros disculpa,
que la habré de dar siniestra.
Mi sangre es, señor, la vuestra;
sacadla, y pague la culpa.
A esos pies estoy rendido,
y ésta es mi espada, señor.

DON PEDRO

Alzate y muestra valor,
que esa humildad me ha vencido.
¿Atraveráste a bajar
por ese balcón?

DON JUAN

Sí atrevo,
que alas en tu favor llevo.

DON PEDRO

Pues yo te quiero ayudar.
Vete a Sicilia o Milán,
donde vivas encubierto.

DON JUAN
Luego me iré.

DON PEDRO
¿Cierto?

DON JUAN
Cierto.

DON PEDRO
Mis cartas te avisarán
en qué para este suceso
triste que causado has.

DON JUAN *(Aparte.)*
Para mi alegría, dirás.
(Alto.)
Que tuve culpa confieso.

DON PEDRO
Esa mocedad te engaña.
Baja, pues, ese balcón.

DON JUAN
Con tan justa pretensión,
gozoso me parto a España.

La escena de esta comedia tiene lugar en Nápoles, en Tarragona, en Sevilla y en Dos Hermanas

ACTO TERCERO

Casa de GASENO, *en Dos Hermanas*

Sale PATRICIO, *pensativo*

PATRICIO
¿Qué me queréis, caballero,
que me atormentáis así?

Bien dije, cuando le vi
en mis bodas: «¡Mal agüero!»
¿No es bueno que se sentó
a cenar con mi mujer,
y a mí en el plato meter
la mano no me dejó;
pues cada vez que quería
meterla, la desviaba,
diciendo a cuanto tomaba:
«Grosería, grosería»?
Pues el otro bellacón,
a cuanto comer quería:
«¿Esto no come?», decía;
«No tenéis, señor, razón»;
y de delante al momento
me lo quitaba. Corrido
estoy viendo esto, que ha sido
culebra y no casamiento.
Ya no se puede sufrir,
ni entre cristianos pasar.
Y acabando de cenar
con los dos, ¿mas que a dormir
se ha de ir también sin porfía
con nosotros, y ha de ser
el llegar yo a mi mujer
grosería, grosería?
Ya viene; no me resisto:
aquí me quiero esconder;
pero ya no puede ser,
que imagino que me ha visto.

Sale DON JUAN

DON JUAN

¿Patricio?

PATRICIO

Su señoría,
¿qué manda?

DON JUAN

Haceros saber...

PATRICIO *(Aparte.)*

¿Mas que ha de venir a ser
alguna desdicha mía?

DON JUAN

Que ha muchos días, Patricio,
que a Aminta el alma le di,
y he gozado...

PATRICIO

¿Su honor?

DON JUAN

Sí.

PATRICIO *(Aparte.)*

Manifiesto y claro indicio
de lo que he llegado a ver;
que si bien no le quisiera,
nunca a su casa viniera.
Al fin, al fin, es mujer.

DON JUAN

Al fin, Aminta, celosa,
o quizá desesperada
de verse de mí olvidada
y de ajeno dueño esposa
esta carta me escribió,
enviándome a llamar;
y yo prometí gozar
lo que el alma prometió.

Esto pasa de esta suerte:
dad a vuestra vida un medio,
que le daré sin remedio
al que lo impida la muerte.

PATRICIO

Si tú en mi elección lo pones,
tu gusto pretendo hacer;
que el honor y la mujer
son malos en opiniones.
La mujer, en opinión,
siempre más pierde que gana,
que son como la campana,
que se estima por el son;
y así es cosa averiguada
que opinión viene a perder
cuando cualquiera mujer
suena a campana quebrada.
No quiero, pues me reduces
el bien que mi amor ordena,
mujer entre mala y buena,
que es moneda entre dos luces.
Gózala, señor, mil años;
que yo quiero resistir
desengaños, y morir,
y no vivir con engaños.

(Vase.)

DON JUAN

Con el honor le vencí,
porque siempre los villanos
tienen su honor en las manos
y siempre miran por sí;
que por tantas variedades,
es bien que se entienda y crea
que el honor se fue al aldea
huyendo de las ciudades.

Pero antes de hacer el daño
le pretendo reparar:
a su padre voy a hablar
para autorizar mi engaño.
Bien lo supe negociar;
gozarla esta noche espero;
la noche camina, y quiero
su viejo padre llamar.
Estrellas que me alumbráis,
dadme en este engaño suerte,
si el galardón en la muerte
tan largo me lo guardáis.

(Vase.)

Salen AMINTA *y* BELISA

BELISA

Mira que vendrá tu esposo;
entra a desnudarte, Aminta.

AMINTA

De estas infelices bodas
no sé qué siento, Belisa.
Todo hoy mi Patricio ha estado
bañado en melancolía;
todo es confusión y celos;
¡mira qué grande desdicha!

BELISA

Di, ¿qué caballero es este...?

AMINTA

Déjame, que estoy corrida.
La desvergüenza en España
se ha hecho caballería.
¡Mal hubiese el caballero
que de mi esposo me priva!

BELISA

Calla, que pienso que viene;
que nadie en la casa pisa
de un desposado tan recio.

AMINTA

Queda a Dios, Belisa mía.

BELISA

Desenójale en los brazos.

AMINTA

¡Plega a los cielos que sirvan
mis suspiros de requiebros,
mis lágrimas de caricias!
(Vanse.)

Salen DON JUAN, CATALINÓN *y* GASENO

DON JUAN

Gaseno, quedad con Dios.

GASENO

Acompañaros quería,
por darle de esta ventura
el parabién a mi hija.

DON JUAN

Tiempo mañana nos queda.

GASENO

Bien decís: el alma mía
en la muchacha os ofrezco.

DON JUAN

Mi esposa decid.
(Vase GASENO.)
Ensilla,
Catalinón.

CATALINÓN

¿Para cuándo?

DON JUAN

Para el alba, que de risa
muerta ha de salir mañana
de este engaño.

CATALINÓN

Allá en Lebrija,
señor, nos está aguardando
otra boda; por tu vida
que despaches pronto en ésta.

DON JUAN

La burla más escogida
de todas, ésta ha de ser.

CATALINÓN

Que saliésemos querría
de todas bien.

DON JUAN

Si es mi padre
el dueño de la justicia,
y es la privanza del rey,
¿qué temes?

CATALINÓN

De los que privan
suele Dios tomar venganza
si delitos no castigan.

DON JUAN

Vete, ensilla; que mañana
he de dormir en Sevilla.

CATALINÓN

¿En Sevilla?

DON JUAN

Sí.

CATALINÓN

¿Qué dices?
Mira lo que has hecho, mira
que hasta la muerte, señor,
es corta la mayor vida;
que hay tras la muerte imperio.

DON JUAN

Si tan largo me lo fías,
vengan engaños.

CATALINÓN

Señor...

DON JUAN

Vete, que ya me amohínas.
(Vase CATALINÓN.)
Yo quiero poner mi engaño
por obra; el amor me guía
a mi inclinación, de quien
no hay hombre que se resista.
Quiero llegar a la cama.
(Acércase a la puerta de la alcoba y llama.)
Aminta.

Sale AMINTA, *como que está acostada*

AMINTA

¿Quién llama a Aminta?
¿Es mi Patricio?

DON JUAN

No soy
tu Patricio.

AMINTA

¿Pues quién?

DON JUAN

Mira
despacio, Aminta, quién soy.

AMINTA

¡Ay de mí! Yo soy perdida.
¿En mi aposento a estas horas?

DON JUAN

Estas son las horas mías.

AMINTA

Volveos; que daré voces:
no excedáis la cortesía...

DON JUAN

Escúchame dos palabras,
y esconde de las mejillas
en el corazón la grana,
por ti más preciosa y rica.

AMINTA

Vete, que vendrá mi esposo.

DON JUAN

Yo lo soy. ¿De qué te admiras?

AMINTA

¿Desde cuándo?

DON JUAN

Desde ahora.

AMINTA

¿Quién lo ha tratado?

DON JUAN

Mi dicha.

AMINTA

¿Y quién nos casó?

DON JUAN

Tus ojos.

AMINTA

¿Con qué poder?

DON JUAN

Con la vista.

AMINTA

¿Sábelo Patricio?

DON JUAN

Sí,
que te olvida.

AMINTA

¿Que me olvida?

DON JUAN

Sí, que yo te adoro.

AMINTA

¿Cómo?

DON JUAN

Con mis dos brazos.

AMINTA

Desvía.

DON JUAN

¿Cómo puedo, si es verdad
que muero?

AMINTA

¡Qué gran mentira!

DON JUAN

Aminta, escucha y sabrás,
si quieres que te lo diga,
la verdad; que las mujeres
sois de verdades amigas.
Yo soy noble caballero,
cabeza de la familia
de los Tenorios antiguos,
ganadores de Sevilla.
Mi padre, después del rey,
se reverencia y estima,
y en la corte, de sus labios
pende la muerte o la vida.
Corriendo el camino acaso
llegué a verte; que amor guía
tal vez las cosas de suerte,
que él mismo de ellas se olvida.
Vite, adoréte, abraséme
tanto, que tu amor me anima

a que contigo me case;
y aunque el rey lo contradiga,
y aunque mi padre, enojado,
con amenazas lo impida,
tu esposo tengo de ser.
¿Qué dices?

AMINTA

No sé qué diga;
que se encubren tus verdades
con retóricas mentiras;
porque si estoy desposada
(como es cosa conocida)
con Patricio, el matrimonio
no se absuelve, aunque él desista.

DON JUAN

En no siendo consumado,
por engaño o por malicia
puede anularse.

AMINTA

En Patricio
todo fue verdad sencilla.

DON JUAN

Ahora bien: dame esa mano,
y esta voluntad confirma
con ella.

AMINTA

¿Qué? No, me engañas.

DON JUAN

Mío el engaño sería.

AMINTA

Pues jura que cumplirás
la palabra prometida.

DON JUAN

Juro a esta mano, señora,
infierno de nieve fría,
de cumplirte la palabra.

AMINTA

Jura a Dios que te maldiga
si no la cumples.

DON JUAN

Si acaso
la palabra y la fe mía
te faltare, ruego a Dios
que a traición y alevosía
me dé muerte un hombre muerto;
(Aparte.)
que vivo, Dios no permita.

AMINTA

Pues con ese juramento,
soy tu esposa.

DON JUAN

El alma mía
entre los brazos te ofrezco.

AMINTA

Tuya es el alma y la vida.

DON JUAN

¡Ay Aminta de mis ojos!,
mañana sobre virillas

de tersa plata, estrellada
con clavos de oro de Tibar,
pondrás los hermosos pies,
y en prisión de gargantillas
la alabastrina garganta,
y los dedos en sortijas,
en cuyo engaste parezcan
transparentes perlas finas.

AMINTA

A tu voluntad, esposo.
la mía desde hoy se inclina:
tuya soy.

DON JUAN *(Aparte.)*

¡Qué mal conoces
al Burlador de Sevilla!
(Vanse.)

TODO ES DAR EN UNA COSA

Salen CARRIZO, PULIDA, *su mujer;* CRESPO *y* BERTOL, *pastores*

PULIDA

El ha de ser escribén,
o sobre eso...

CARRIZO

¡Dalle, dalle!
Polida, vos lleváis talle
de alguna tunda. No tien
de ser, si macho parís,
escribén. Mirá, Polida,
que el crergo tien buena vida.

PULIDA

¿Por qué?

CARRIZO

Porque está en un tris
de ser cura de Garcías,
y aun de obispar en Majadas.

PULIDA *(Dale cuatro higas.)*

Tomad para vos; sí, ¡aosadas!,
no lo verán vuesos días:
escribén será, o sobre eso
morena.

CARRIZO

Mirad, Polida...

PULIDA

O no parirlo en mi vida,
o escribén.

CARRIZO

Tened más seso,
o yo os juro a non de Dios
que os cueste la paridura.
El muchacho ha de ser cura.

PULIDA

¡Malos años para vos!
El diabro me lleve, amén,
por más que deis en reortir,
que ogaño no he de parir
en no héndole escribén.

CARRIZO

Mas que nunca lo paráis,
porque no ha de ser si cura,
que con una hisopadura
coma y cene. No me hagáis...

BERTOL

¿Sobre qué estáis altercando?
¿Sabéis vos lo que ella tien
en el vientre?

PULIDA

A un escribén.

BERTOL

Pues ¿de dó lo vais sacando?

PULIDA

¿De dó? Siéntole dar vueltas
de día y noche.

BERTOL

Pues bien...

PULIDA

Luego ha de ser escribén
quien mis tripas trae revueltas.
Desque preñada me siento,
se me antoja levantar
testimuños y arañar
cuando topo; en todo miento;
y en cualquiera falsedad,
si se conciertan conmigo,
a cuantos lo dudan, digo:
«Yo doy fe de que es verdad.»
Un proceso sé esconder
un mes por menos de un cuarto;
si es tampoco antes del parto,
después de él, ¿qué vendrá a ser?

CARRIZO

No mos andemos cansando:
crergo tien de ser, Polida;
que en fin ganan la comida
lo más del tiempo cantando.
Catá que os daré un puñete,
que os haga...

PULIDA

¿Qué me heis de her?

CARRIZO

Apenas le vea nacer,
cuando le encajo el bonete.

PULIDA

Pues no le pariré yo.

CRESPO

¿Hay riña más extremada?

BERTOL

¿Y si estáis de hija preñada?

CARRIZO

¡Malos años! Eso, no.
La primera condición
con que mos casamos hué
que cada que en cinta esté. ,
ha de parirme un garzón.

PULIDA

Por eso no quedará,
que ayer el cura me dijo:
«¡Ay Polida! Os bulle un hijo.»

CARRIZO

¿Veislo? Pues cura será.

PULIDA

Luego el escribén también
con la mano me tentó,
y al punto el rapaz saltó:
luego ha de ser escribén.

CARRIZO

No en mis días.

PULIDA

Sí en los míos.

CARRIZO

¡Dalle, tegeretas; dalle!
¡Polida!...

PULIDA

¡Carrizo!...

CARRIZO

Talle
lleváis...

CRESPO

Dejad desvaríos.
¿No es locura que riñáis
por lo que está por nacer?

PULIDA

Escribén tienen de ser,
o lo tengo de abortar.

CARRIZO

No tien de ser sino cura.
(Va a ella.)

BERTOL

Teneos.

CARRIZO

No puedo sofrillo.

PULIDA

O escribén, o malparillo.

CARRIZO

Yo os sacaré la criatura
por el cogote.

PULIDA

Llegá.

CARRIZO

¿Qué llegue? Verá si llego.
(Dala.)

PULIDA

¡Ay del rey!

CARRIZO

¿Mas que os despego
la escribanura?

CRESPO

Arre allá:
teneos, Carrizo, Polida.

CARRIZO

Crergo ha de ser, si sopiese...

PULIDA

Escribén, aunque os repese.

CARRIZO

Dejádmela dar.

PULIDA

Por vida
de esto que acá me rebulle,
si os llegáis, que he de sacaros
los ojos, y rastrillaros
la cara.

CARRIZO

Aunque más barbulle
el tema que loca os tien,
he de salir con la mía.

PULIDA

¡Más nonada!

BERTOLL

¡La porfía!

CARRIZO

Crergo dije.

PULIDA

Yo escribén.

CARRIZO

¡Oh! ¡Qué pan como unas nueces
se os apareja!

CRESPO

¿Hay locura
semejante?

PULIDA

Escribén.

CARRIZO

Cura.

PULIDA

Escribén, quinientas veces.

LA REPUBLICA AL REVES

LIDORA *y* CLODIO

CLODIO

Tan lleno de pesares
quedé cuando partiste,
que con el menor de ellos
fue mucho no morirme.
Maldije al griego imperio,
y a la infanta maldije,
que fue ocasión, señora,
de aquella ausencia triste.
En ella de mi pena
pensaba divertirme
con ejercicios varios,
sin tu presencia viles.
Salí a cazar mil veces,
y otras tantas volvíme,
porque me daban caza
pensamientos terribles.
Perdía si jugaba;
que como perdió Chipre
tu agradable presencia,
perdiéndose él, perdíme.
Quisieron mis amigos
con pláticas sutiles
entretener mis penas;
mas como siempre aflige
al que es discreto el necio,
al soberbio el humilde
y al avariento el pobre,
así al amante el libre.

Con otras hermosuras
poner remedio quise
al fuego que en el alma
en viéndote encendiste;
mas era echar más leña;
porque es necio el que dice
que el amor más constante
con otro amor se rinde.
En fin, cuantos remedios
en su «Arte amandi» escribe
Ovidio el desterrado,
tantos propuse y hice;
mas como el que es de muerte,
de tormento le sirven
las medicinas varias
que el médico apercibe,
empeoré con ellos:
¡mal haya amén quien dice
que es remedio la ausencia
para que amor se olvide!
¡Qué de veces rondaba
las paredes felices
que habitación te dieron
cuando mi mal oíste,
y qué de veces, loco,
desde tus rejas quise,
llamándote Anajarte,
representar un Ifis!
Las sabrosas palabras
y prendas que me diste,
eran de mi naufragio
la tabla convenible.
Mas todo aquesto era
sin verte, hermosa Circe,
cual vela que se acaba,
arder para morirme.
Vime, en fin, tan enfermo,
tan desahuciado vime,

que hacer una novena
a tu hermosura quise.
Llegué a Constantinopla,
y apenas de un esquife
a tierra salté, cuando
en un carro sublime
de perlas, marfil y oro,
mil ojos hechos linces,
te vi llevar debajo
de un rico palio. ¡Ay triste.
creí que me engañaba;
lleguéme a un hombre y dije:
«¿Carola no es aquélla,
hija del rey de Chipre?»
Respondió: «No es la infanta;
que esa dama infelice
trujo consigo el daño
que su ventura oprime.
Una criada es suya,
a quien el César rinde
la cerviz de su imperio,
porque es de su amor Circe.»
Quedéme casi muerto,
y vi que el vulgo libre
te echaba maldiciones,
y aun yo ayudalle quise;
y de mi muerte cierto,
pues miro ya imposible
mi débil esperanza,
antes que se marchite
busqué ocasión de darte,
crüel más que Busiris,
el parabién del lauro
que en tu cabeza ciñes.
¿Quién duda que si antes
amando me tuviste
en Chipre por tu Adonis,
aquí seré Tersites?

Ya pisas oro y perlas,
diamantes y rubíes,
¿quién duda que con ellos
también mis dichas pises?
Castíguente los cielos...
Pero no te castiguen,
sino que con mi muerte
de tanto mal me libren.

LA VIDA DE HERODES

Después del diálogo de Mariadnes *y* Herodes, *vestido o disfrazado de pastor, sobre el césped y a la sombra de un umbroso arbolado, ella quiere saber cómo un hombre rústico puede expresarse tan cultamente, y entonces él le dice, en larga parrafada poética*

Herodes

Ya que el sutil ingenio
hijo de esa alma noble,
curioso inquisidor
de celos y de amores,
sacando del sagrado
donde el secreto absconde
sucesos de mi vida,
discreta los conoce;
sabrás, hermosa infanta,
que el rey del sacro monte
que a Salomón dio cedros
que para el templo corte,
y Hiram el mundo llama,
se honra con el nombre
de padre mío, puesto
que injuria estos blasones.
Fertilizó su sangre
en himeneos conformes
el cielo con tres hijos,
los dos de ellos varones;
y siendo yo el pequeño,
mis años corresponden
al grado en que he nacido,
que en dichas son menores.

Como perdí el derecho
al reino, que dispone
su herencia al mayorazgo
porque los demás lloren,
mis quejas satisfizo
con darme en fuerzas dobles
para un alma de cera
un corazón de bronce.
Dispúsome a la guerra;
que en ella inclinaciones
dan a segundos hijos
riquezas y opiniones;
y haciendo alarde al viento
de plumas y atambores,
de galas a Cupido
y a Marte de escuadrones,
salí contra el de Arabia,
que, descuidado entonces,
pegaba en verdes años
censo a deleites torpes.
Vencíle... (brevemente,
que ahorrando digresiones,
no con prolijos cuentos
pretendo que te enojes).
Dándole, pues, la muerte,
a su vivir conforme,
da a mis hazañas reinos
y a mi valor renombres;
y mientras que permito
que afrenten y despojen
tesoros y hermosuras
soldados vencedores,
en una galería
entré, que en artesones
dorados era suma
del cielo y de sus orbes.
Colgaban sus paredes
pinceles triunfadores

de la Naturaleza,
cuyas ostentaciones
bellezas celebraban,
robaban corazones
y daban almas vivas
a lienzos y colores.
En medio estaba un cuadro,
y en él (no sé cómo ose
pintarle sin su injuria
mi lengua agora torpe)
un fénix de belleza:
poco dije; perdone
la diosa enamorada
que en rosa volvió a Adonis.
Yo sé que si la viera
el dios del cuarto coche,
causara nuevos celos
a Clicie y a Leucote.
Menospreciara a Onfale
el que la rueca pone
por el mayor trofeo.
de sus trabajos doce.
Mas para no cansarte,
si quieres que la copie,
mírate en el espejo
de ese cristal que corre;
que estando tú presente
porque su vista goce,
no hay para qué sutiles
buscar comparaciones.
Metiéronla en el alma
ojos aduladores,
pagando, como el griego,
hospicios con traiciones;
y yo sin mí y con ella,
volví a ostentar pendones,
dando a mi patria vuelta,
que con festivas voces

sus Venus y Narcisos,
de amor aduladores,
alegres me esperaban
con triunfos y ovaciones.
Mi padre y dos hermanos
(no sé si así los nombre)
quisieron por mi cuello
desocupar balcones;
y oyendo parabienes,
gozando aclamaciones,
cantándome victorias
Homeros y Anfiones,
veo a mi padre ingrato
(¡ay si muriera entonces!)
del rey Orbel de Lidia
honrando embajadores.
Traíanle el retrato
de la princesa Doris,
y el sí con él de esposa
para mi hermano Orontes.
Pagaba el rey albricias
con gracias y con dones,
y el príncipe lozano
exageraba amores,
cuando los dos me dicen:
«A tus victorias nobles
añade, Perïandro,
la dicha que hoy conoces
en tu mayor hermano,
pues es ya su consorte
el sol que a Lidia alumbra
en tálamos conformes.»
Dejáronme el retrato;
solícitos disponen
recibimientos reales;
mandan que palios borden;
triunfales arcos labran,
con versos y con motes;

y a ingenios muestran prendas
que premien invenciones.
Partiéronse al fin todos,
y yo, como quien oye
la capital sentencia
si impróvido le coge,
estatua fui de mármol,
por dos horas inmóvil;
que repentinas penas
suspenden las acciones.
Pero volviendo en mí,
furioso de que roben
tesoros de esperanzas
tiranos salteadores,
cual onza que los hijos
le llevan cazadores,
partí desesperado,
y sin saber por dónde:
sin seso y sin camino,
mil veces con mis voces
enmudecí las aves,
y lastimé los montes.
Llegué al fin a un desierto,
rasgando el traje noble
(que mal sufrirá abrigos
quien un volcán absconde),
y allí, a no socorrerme
solícitos pastores,
fuera sin duda presa
de tigres o leones.
En fin, determinando
de huir soberbias cortes,
destierro de verdades
y amparo de ambiciones,
compuse una cabaña
de ramos y de adobes,
donde pobrezas ricas
huyen riquezas pobres.

Pero cuando gozaba,
en vez de aduladores,
por dulces compañeras
mis imaginaciones,
una apacible tarde,
umbrales de la noche,
que el cielo se vestía
rosados arreboles,
veo venir huyendo
una mujer de un hombre
(si aquel que gustos fuerza
es digno de este nombre).
Opúseme a su furia
con pasos tan veloces,
que a un tiempo le alcanzaron
mis pasos y mis voces;
y siendo el instrumento
de su castigo un roble,
a su torpeza y vida
dio fin un solo golpe.
Volví a ver mi agraviada,
y hallé que los colores
de nieve y rosicleres,
con un desmayo inorme,
en gualdas y violetas
trocaba, dando entonces
premisas a la muerte,
obsequias a las flores.
Pero reconociendo
sus eclipsados soles,
originales bellos
de aquella imagen noble
que el alma me ha robado,
agravios y favores
agradecí con quejas
al ciego amor sin orden.
¡Qué hallazgo tan divino
con tal pesar congoje!

¿Mas cuándo dio el amor
deleites sin dolores?
Cogíla alegre y triste
en brazos, y sirvióme
al cuello de cadena,
libre en tales prisiones;
y en mi grosero albergue,
sobre unas pajas pobres,
deposité aquel cielo,
de amor primero móvil.

MARIADNES

Pastor ilustre, espera,
primero que provoques
sospechas que en el alma
engendran mis temores.
Con la verdad me engañas,
pues pienso que propones
sucesos de mi vida,
trocando el reino y nombres.
Di si lo que refieres
(antes que al cuento tornes),
para pintar mi historia
te da falsos colores.
Yo debo ser sin duda
la que llamando Doris,
cuando a Faselo aguardo,
me das por dueño a Orontes.
¿Qué es esto?

HERODES

Infanta bella,
sosiega, y no te asombren
sucesos que a las veces
hermanan ocasiones.
No es ésta la primera
que en dos distintos hombres

Naturaleza sabia
un mismo rostro forme.
¿Qué mucho, pues, que así
amor sujetos forje,
con cuya semejanza
engendre admiraciones?

MARIADNES

No sé qué diga en eso;
tú mismo te respondes,
y acaba de sacarme
de tantas confusiones.

HERODES

Quedaba de mi historia...

MARIADNES

En que dejaste a Doris
dando con su desmayo
a amor ponderaciones.

HERODES

Viéndola, pues, ansí,
y que para que goce
cabellos la ocasión,
al viento los descoge;
su poca resistencia,
la soledad de un monte,
y en fin, amor, que ciego
casi imposible rompe,
por poco me vencieran
con necias persuasiones
a que el valor olvide,
y a que la honra postre.
Mas la razón que cuerda

noblezas reconoce,
ató al atrevimiento
deseos y ocasiones;
pues sólo satisfecha
con que la vista goce
despojos, sin injuria
del sol que es bien que adore,
licencia dio a los labios
para que mientras cogen
el ámbar de su aliento,
se impriman en sus flores.
Pero antes que prosiga
mis lícitos amores,
bellísima señora,
¿qué hicieras tú si entonces,
volviendo del desmayo,
sirvieran de eslabones
tus brazos de marfil
al cuello de quien oyes;
y más si satisfecha
de las obligaciones
con que amparó tu fama,
supieras que aquel hombre,
abeja de tus labios,
atrevimientos nobles
ejecutando en ellos,
gozó tales favores?

MARIADNES

Aunque con tal pregunta
en confusión me pones,
y a sospechosas dudas
indicios das mayores,
no sé si agradecida
a que por él no llore
mi honra restaurada
agravios violadores,

pagara resistencias
de un apetito torpe
con dalle honestos frutos
a quien sus rosas coge.
Y si al contrario de esto
contigo lo hizo Doris,
y ingrata dio a tu hermano
de esposa mano y nombre,
engaño a su honor hizo,
pues necia defraudóle
primicias usurpadas
de labios ya traidores.
Mas de eso, ¿qué coliges?

HERODES

¡Oh! juez sin pasión, oye...
Mas no podrás, que vienen
tus viles ofensores:
mi vida con tu fama
a cargo el valor tome,
pues no es bien que consienta
que nadie te deshonre.

MARIADNES

¡Ay Dios! ¿Por dónde vienen?

HERODES

Vuelve los claros soles;
podrá ser que los ciegues:
veráslo que trasponen
aquel verde collado.

MARIADNES

Y yo, porque te asombre,
pues el valor me anima

de mis antecesores,
ofreceré a las aras
que el mundo al honor pone,
la vida antes, que el mío
sus viles manos toquen.
Mas ¿qué es de ellos?

(Mientras ella vuelve a ver los que vienen, se quita él el sayo, y queda en calzas y jubón de tabí, muy bizarro.)

HERODES

Aquí
tus ojos vencedores,
de amor siempre invencible
verán metamorfosis.
Yo soy, hermosa infanta,
quien triunfos y blasones,
como a deidad suprema,
hoy a tus plantas pone.
Pintada me rendiste,
y viva echas prisiones
a un alma que allí tienes,
¡feliz si la conoces!
Halléte casi muerta,
y sin testigos, donde
pudieran apetitos
vencer obligaciones.
Pero mi amor hidalgo
alegre contentóse
con que pagasen labios
deseos acreedores.
Juez fuiste de ti misma
en tribunal de flores;
sentencias ejecuta,
y agradecida ponme
en posesión de gustos;
que como trueque el nombre
de amante en el de esposo,

en láminas de bronce
escribirá a los tiempos
de Doris y de Orontes
engaños verdaderos
tu siempre esclavo Herodes.

MARIADNES

Basta, que en Palestina
también nacen Sinones,
que ofrezcan entre enredos
a Troya Paladiones.
No quiero revocarte
sentencias que di a Doris,
y paga Marïadnes;
no con ponderaciones
culpar atrevimientos,
agradecer favores,
loando resistencias,
encareciendo acciones.
Ya Febo ha permitido
que sus caballos mojen
sus crines en el mar,
y estrellas da a la noche.
Ocupa, infante ilustre,
de aquése los arzones;
que yo alegre en sus ancas,
hoy mostraré a la corte
que amor es coyuntura,
sus dichas ocasiones,
sus armas cortesías,
mudanzas sus blasones.
Perdonará Faselo;
y cuando no perdone,
¿qué importa, como sea
esposo mío Herodes?

HERODES

Dame a besar cristales,
mientras que se corone
mi cuello de tus brazos.

MARIADNES

Celosa estoy de Doris,
con ser dama fingida.

HERODES

¿Por qué, si no es Orontes
quien idolatra en ti?

MARIADNES

¿Pues quién eres?

HERODES

Herodes.

(Vanse.)

LA DAMA DEL OLIVAR

Salen DON GUILLÉN, *con hábito de Santiago, y* LAURENCIA *como que ha cernido*

LAURENCIA

Déjeme cerner mi harina.

GUILLÉN

Laurencia hermosa, cerned
pensamientos de mi amor,
porque la harina apuréis
de esperanzas candeales,
que con el agua amaséis
de mis ojos, y cozáis
en el horno de mi fe.
Celos serán levadura,
tan agria cuanto crüel,
que os dará pan blanco y tierno.

LAURENCIA

No le como si trechel.
Mire que he de amasar hoy:
vaya con Dios su mercé,
y a las bobas diga amores,
porque yo ya sé quién es.

GUILLÉN

¿Quién soy?

LAURENCIA

Amante común,
que enamora cuantas ve;
mesón que todo lo acoge;

fuente que da de beber
a gente de toda broza;
prado concejil, en quien
pacen de comunidad
yerba que mata después.
Yo no tengo más de una alma;
sólo un dueño ha de tener,
que con una voluntá
a una sola quiera bien.

GUILLÉN

Sola vos sois, sol hermoso,
en quien me siento encender,
fénix sola en hermosura.

LAURENCIA

Vaya, señor don Guillen,
y venda esos morrimullos
a Constanza y a Isabel,
burladas de sus promesas
como Polonia e Inés;
y perdone, que me vo,
porque hay mucho que cerner.

GUILLÉN

Aguardad un poco.

LAURENCIA

Mire...

GUILLÉN

¿Qué?

LAURENCIA

Que le enharinaré.

GUILLÉN

Yo sé cuando, menos dura,
me escuchábades.

LAURENCIA

Cerré
las orejas con candados.

GUILLÉN

Pues ¿por qué es tanto desdén?

LAURENCIA

Porque tiene el corazón
muy ancho, y caben en él
a gruesas, como botones,
las pastoras que mantién.
Caballero es de Aragón,
sobre su pecho se ve
la cruz que de Montalbán
le encomendó nuesa fe;
pero ¿qué importa que traiga,
mostrando que es hombre fiel,
a los pechos la cruz roja,
si en el alma el diablo tién?
Los que son comendadores
y caballeros como él,
damas sirven de palacio
con estrado y con dosel.
Deje villanas groseras
de sayal y de buriel;
que no es bien coma truchuela
quien truchas puede comer.

GUILLÉN

En fin, ¿ya me despedís?
En fin, ¿ya no me queréis?

LAURENCIA

No, que da mal fin a todas,
y un mal fin es de temer.

GUILLÉN

Escúchame una palabra.

LAURENCIA

Ya le he oído más de diez,
y no quiero escuchar once.

GUILLÉN

Acabad.

LAURENCIA

Apártese.

GUILLÉN

No puedo.

LAURENCIA

Pues por mi vida...

GUILLÉN

¿Qué?

LAURENCIA

Que le enharinaré.

GUILLÉN

Pues en esquiva habéis dado,
y vos sola en Estercuel
no estimáis mi voluntad,
a Dios.

LAURENCIA

Luego ¿vase?

GUILLÉN

¿Pues...?

LAURENCIA

Vaya con la maldición.

GUILLÉN

¿Qué más maldición queréis
que partirme y no obligaros?

LAURENCIA

En fin, ¿se va?

GUILLÉN

¿Qué he de hacer?

LAURENCIA

Volved acá, caballero,
no seáis tan descortés;
que los noes al principio
son síes en la mujer.
No estáis ducho en conocernos,
y pues no lo estáis, sabed
que las palabras que habramos,
han de entenderse al revés.

GUILLÉN

Pues ¿qué quieres?

LAURENCIA

Que no os vais.

GUILLÉN

Pues ¿tiénesme amor?

LAURENCIA

Sí, a fe.

GUILLÉN

¿Mucho?

LAURENCIA

Mucho, que es con celos.

GUILLÉN

¿Quién te los causa?

LAURENCIA

Isabel.

GUILLÉN

Aborrézcola.

LAURENCIA

Mentides.

GUILLÉN

Mucho sabes.

LAURENCIA

Mi mal sé.

GUILLÉN

¿Dónde la vi?

LAURENCIA

En el molino.

GUILLÉN

¿Yo? ¿Cuándo?

LAURENCIA

Vos, y antiyer.

GUILLÉN

¿Enamorado?

LAURENCIA

Y perdido.

GUILLÉN

Pues ¿qué la dije?

LAURENCIA

Mi bien.

GUILLÉN

¿Y qué respondió?

LAURENCIA

Mi mal.

GUILLÉN

¿Hubo más de aqueso?

LAURENCIA

¿Pues...?

GUILLÉN

¿Qué hubo?

LAURENCIA

La embracijasteis.

GUILLÉN

Eso, ¿qué importa?

LAURENCIA

¡O crüel!

GUILLÉN

Pues ¿un abrazo...?

LAURENCIA

Es luchar...

GUILLÉN

¿Para qué?

LAURENCIA

Para caer.

GUILLÉN

Si tú me quieres...

LAURENCIA

¿Qué hará?

GUILLÉN

Aborrecella.

LAURENCIA

¿Y después?

GUILLÉN

Ser amante tuyo.

LAURENCIA

¿Y luego?

GUILLÉN

Adorarte a ti.

LAURENCIA

¡Qué bien!

GUILLÉN

Yo lo juro.

LAURENCIA
¿De qué modo?

GUILLÉN
Por tus ojos.

LAURENCIA
Burlas ven.

GUILLÉN
Por el cielo.

LAURENCIA
Está muy lejos.

GUILLÉN
Por mi fe.

LAURENCIA
No guarda fe.

GUILLÉN
Por mi vida.

LAURENCIA
Moriráse.

GUILLÉN
Por esta cruz.
(Pónese la mano en el pecho.)

LAURENCIA
No la cree.

GUILLÉN
Por Dios.

LAURENCIA
Es un mal cristiano.

GUILLÉN

Pues ¿por quién quieres?

LAURENCIA

No sé.

GUILLÉN

Fía en mí.

LAURENCIA

¿Sobre qué prendas?

GUILLÉN

Sobre el alma.

LAURENCIA

Iráseme.

GUILLÉN

¿No es prenda segura?

LAURENCIA

No.

GUILLÉN

¿Por qué?

LAURENCIA

Porque no se ve.

GUILLÉN

¿Quieres otra?

LAURENCIA

Cómo fuere.

GUILLÉN

Mis brazos.

LAURENCIA

Arrédiese.

GUILLÉN

¿Qué recelas?

LAURENCIA

Que he cernido...

GUILLÉN

¿Pues?

LAURENCIA

Y le enharinaré.

GUILLÉN

Echemos cosas a un lado:
Laurencia, de amor laurel,
de quien es mi amor Apolo,
aunque más dichoso que él;
un mes ha que estoy perdido
por ti; juzgando este mes
por siglos de dilaciones,
propiedad del bien querer.
Yo he sabido que tu padre,
de mi amor padrastro infiel,
casándote darme intenta
con celos muerte crüel.
¿Será, pues, razón, serrana,
que esperanzas que sembré
goce un tosco labrador,
de quien esposa has de ser?
¿Que un rústico sea hortelano
que coja de tu vergel
la flor primera, debida
a la imagen de mi fe?
Primero que tal consienta,
he de abrasar a Estercuel,
y en venganza de mis celos
Nerón seré aragonés.

LAURENCIA

Pues ¿qué queréis que yo haga?

GUILLÉN

Que esta noche entrada des
a atrevimientos de amor
que facilita el querer.
Por las tapias de tu casa
confiado subiré
de que desvelada esperas
en tu huerta; y si una vez
las primicias de tus gustos
gozo, en bronce escribiré
obligaciones que el tiempo
jamás pueda deshacer.
¿Qué respondes?

LAURENCIA

Que no vengas.

GUILLÉN

¿No dices? Si te he de creer,
y el no en la mujer es sí,
porque habláis siempre al revés,
tu no misterioso adoro.
Llega y dame...

LAURENCIA

Apártese,
que está muy limpio.

GUILLÉN

¿Qué importa?

LAURENCIA

¿Qué?, que le enharinaré.

MARI-HERNANDEZ LA GALLEGA

(Ciclo galaico-portugués)

La escena es en Chaves (Portugal), en el valle de Limia y en Monterrey

ACTO PRIMERO

Sala en casa de Doña Beatriz, *en la villa de Chaves. Es de noche*

ESCENA PRIMERA

Don Alvaro y Doña Beatriz

Don Alvaro

De dos peligros, Beatriz,
por excusar el más grave,
se ha de escoger el menor.
¿Qué importa que el rey me mate?
Ya sé que a voz de pregones
me busca y por desleales
condena a cuantos supieren
de mí sin manifestarme.
El Rey Don Juan el Segundo
de Portugal y de Algarve
(que, aunque airado contra mí,
mil años el cielo guarde),
dando a traidoras orejas
que persiguiendo leales,
quieren de bajos principios

subir a cargos gigantes,
ha cortado la cabeza
a don Fernando Alencastre
(primo suyo y duque ilustre
de Berganza y Guimaranes)
por unas cartas fingidas
que su secretario infame
contrahizo y entregó,
en que da muestras de alzarse
con la corona, escribiendo
a los reyes, que, ignorantes
deste insulto, las reliquias
destierran del nombre alarbe.
A Fernando e Isabel,
digo, que a Castilla añaden
un nuevo mundo, blasón
de sus hechos alejandres.
Verosímiles indicios
no admiten en pechos reales,
cuando la pasión los ciega,
argumentos disculpables.
  Andaba el rey receloso
del duque, porque al jurarle
en las Cortes, cuando en Cintra
llevó Dios al rey su padre,
reparando en ceremonias
por usadas, excusables,
quiso, según las antiguas,
hacerle el pleito homenaje.
Valiéronse deste enojo
lisonjeros, y parciales
le indignaron, que en los reyes
son crímenes los achaques.
Siguiéronse cartas, luego
contrahechas que a indiciarle
bastaron con tanta fuerza,
que aunque el Duque era su sangre,
el Evora le ajusticia,

sin que lágrimas le aplaquen
de la Reina, hermana suya,
de sus privados y grandes.
Huyen parientes y amigos
porque a enojos majestades,
en los ímpetus primeros,
no hay inocencias que basten.
Dos hermanos y tres hijos
van a Castilla a ampararse
de Fernando e Isabel;
¡quiera el Cielo que en él le hallen!
Al conde de Montemor,
su hermano y gran condestable
de Portugal, aunque ausente,
ha mandado el rey sacarle
en estatua, y en la villa
y plaza mayor de Abrantes
la espada y banda le quita
cuadrada, que es degradarle
de condestable y marqués,
y luego degollar hace
el simulacro funesto,
saliendo (¡rigor notable!)
sangre fingida del cuello
de la inanimada imagen.
Yo que, como primo suyo,
soy también participante,
si no en la culpa, en la pena,
para que también me alcance,
estoy dado por traidor
y por la lealtad de un paje,
que, despreciando promesas,
no temió las crueldades
conque amenazan los jueces;
dos meses pude ocultarme
en un sepulcro, que antiguo
en vida las horas me hace.
Pero ahora que estoy cierto

que el rey, declarado amante
de tu hermosura, ha venido
a esta villa a visitarte,
atropellando consejos,
perdiendo al temor cobarde
el respeto de la vida
y la honra es bien que guarde;
si desesperado no,
celoso mi agravio sale
de sí y del sepulcro triste,
asilo hasta aquí, ya cárcel.
Celos, Beatriz, poderosos
han bastado a levantarme
del sepulcro; muerto estoy,
bien puedo decir verdades.
Dos años ha que te sirvo,
sin que haya, por adorarte,
estorbos que no atropelle,
imposibles que no pase.
Con palabras y promesas
esperanzas alentaste,
que dudosas que las niegues,
hoy vienen a ejecutarte.
Ser mi esposa has prometido;
pero ya que ciega y fácil
la fortuna (en fin, mujer,
firme sólo en ser mudable)
levanta tus pensamientos
cuando mis dichas abate;
tú, igualándote a coronas;
yo, indigno, ya que me iguale
al más rústico pastor;
tú, marquesa respetable;
yo, sin estados ni hacienda.
¡Ay Beatriz! No hay que culparte
que me aborrezcas y olvides.
Gócete el rey; muera, inhábil
de merecer tu belleza

un conde ayer, hoy imagen
y sombra de lo que ha sido;
que cuando el rey aquí me halle,
por que de mí quedes libre,
yo gustaré que me mate.

DOÑA BEATRIZ

Tan desacordado vienes,
que a no ocasionar tus males
a llorar desdichas tuyas,
riyera tus disparates.
Para salir del sepulcro,
donde viven las verdades
entre huesos, desengaños,
que no admitieron, en carne,
no sales con la cordura
que pudieran enseñarte
escuelas del otro siglo,
donde no hay ciencias que engañen.
La historia del malogrado
duque vienes a contarme,
como si yo la ignorara,
cabiéndote tanta parte
a ti en ella como a mí
de lágrimas; que a enseñarte
reliquias que en lienzos viven,
bastaran a acreditarme.
Antes de haber delinquido,
en mi ofensa sentenciaste
olvidos sólo en potencia.
¡Ay don Alvaro de Ataide!
Necios jueces son los celos,
pues sus ciegos tribunales,
sin interrumpir testigos
condenan lo que no saben.
Aunque de lo que te imputan
enemigos criminales

inocente estés (que es cierto,
pues en ti traición no cabe),
sólo la mala sospecha
que contra el amor constante
de mi pecho has hoy tenido,
basta para condenarte;
porque donde el valor vive,
tal vez delitos amantes
son de más ponderación
que las lesas majestades.
De la triste compañía
donde vivo te enterraste,
la desazón se te pega
que muestras: no es bien me espante.
Sin Estado, perseguido,
sin amigos que te amparen,
sin parientes que te ayuden,
sin vasallos que te guarden,
te quiero más que primero;
que por que al fino diamante
le desguarnezcan del oro,
no desdicen sus quilates.
Déjame pelear primero,
cuando el contrario cante
la victoria, entonces dime
vituperios que me agravien;
que si, por ser mujer yo,
temes de mi sexo frágil
banderizados empleos,
soy portuguesa, y bien sabes
que no ha habido en mi nación
ninguna a quien los anales
que afrentas inmortalizan
puedan notar de inconstante.
Amabas presuntuoso;
pretendías arrogante;
pudo ser por las riquezas,
siempre soberbias y graves;

y yo también pudo ser
que por ellas te estimase,
repartiendo en ti y en ellas
deseos interesables.
Ya podrás hablarme humilde,
y yo en amor mejorarme,
queriéndote por ti solo,
si tú, pobre, yo constante.
Estado, hacienda y honor
la fortuna, diosa frágil,
te quitó: guarda la vida;
que como ésta no te falte,
sin Estado, honor ni hacienda
te estimo en más que los reales
blasones que me persiguen,
y no han de poder mudarme.
Noroña soy, si él es rey;
esposa tiene a quien ame,
e ilegítimos empleos
no han de ofender mi linaje.
Raya es ésta de Galicia:
si encubiertamente sales
con el favor de la noche,
amparo de adversidades;
cuando tú seguro estés,
y des orden de avisarme,
te seguiré firme yo;
que empeñando mis lugares,
y recogiendo mis joyas,
castellanas majestades,
de rigor de portugueses,
tiene España que nos guarden.
Dame los brazos, y adiós.

DON ALVARO

Tu nombre en mármoles graben.

LA NINFA DEL CIELO

AUTO SACRAMENTAL

PERSONAJES

El Alma (la Ninfa).
La Memoria.
La Voluntad.
El Entendimiento.
La Malicia.
El Deleite.
Cristo.
Los Músicos.
El Pecado.

Salen el Pecado, *muy galán, de caza; la* Malicia *y el* Deleite

Malicia

¿Dirás que no es necedad
la caza en que el tiempo pierdes,
pues que dejas la ciudad
y en aquestos campos verdes
quieres sembrar la maldad?
Un filósofo decía
que en la soledad hallaba
el bien que le ennoblecía,
y cuando entre hombres andaba
sólo en los vicios crecía.
Vámonos a las ciudades,
que allí, si te persuades,
Pecado, a sembrar tus leyes,
de emperadores y reyes
postrarás las majestades.
Allí hallarás la traición,
ya entre amigos tan usada;

la cortesana ambición,
la mentira entronizada
y honrada la adulación.
Allí sí que se consiente,
allí reina la avaricia,
causa de que mi malicia
se adore en trono eminente;
allí, cazador mayor,
cazarás mucho mejor,
que en la calle y en la plaza
tienes segura la caza
conque aumentes tu valor.
Sal de aqueste campo incierto
si no pretendes quedar,
Pecado, uncido y muerto,
del que quisiste tentar
otra vez en el desierto.

PECADO

Mucho me espanto que ignores,
Malicia, si tu rudeza
no es para intentos peores,
que en este campo y maleza
mil gavilanes y azores
suelen hacer presas tales,
que después honro con ellas
mis palacios imperiales.
Mal mi designio atropellas
con razones desiguales,
en esta ribera amena
donde forma laberintos
ese arroyuelo que suena;
aquí en verdes teberintos,
lirio azul, blanca azucena,
coronan en estos prados
donde miras trasladados
los gustos del Paraíso,

el alma es nuevo Narciso,
si son de Eco mis cuidados.
Aquí en esta soledad,
como predijo el profeta,
del alma es tal la beldad,
aquí los cielos sujeta
con cariñosa humildad,
aquí en Dios arrebatada
si aguda vista vislumbra,
pues de la oración guiada
hasta el Empíreo se encumbra
en su Hacedor confiada.
Ninfa de los campos es
de penitencia vestida,
que es su mayor interés.
Dame ayuda conque impida,
Malicia, el daño que ves.
Ofendido a caza salgo,
que contra aquesta paloma
quiero probar lo que valgo.

MALICIA

Pecado, otro intento toma;
que el caballero, el hidalgo,
el rey, el emperador,
el plebeyo, el mercader,
se pueden cazar mejor.
Allí te podrás valer
entre el confuso rumor.

PECADO

Así enojado te escucho.

MALICIA

Las ciudades son mi centro,
que en el campo, cuando mucho,

un Pablo, un Antonio encuentro,
y en vano con ellos lucho.

PECADO

Pues por que hay dificultad
mayor, en la soledad
muestro mi fuerza invencible.

MALICIA

Tú pretendes lo imposible.

PECADO

Calla, que eso es necedad;
en los desiertos halló
peligro el Apóstol; yo,
Malicia, entiendo lo que es,
¡ay!, dice el Eclesiastés,
del solo, que si cayó
no tiene quien lo levante.
Para condenarse sobra,
Malicia, un pequeño instante.

DELEITE

Bien dices, ponlo por obra,
lleva tu intento adelante.

MALICIA

No por que te doy consejo,
de seguir tus pasos dejo;
intenta lo que quisieres.

PECADO

Deleite, esos tus placeres
le pinta al alma un espejo.
La tarde declina ya,
se recoge, según creo.

MALICIA

Acompañada vendrá.

PECADO

Si entre mis brazos la veo,
dicho la caza será.

Salen el ALMA, *bizarra, y el* ENTENDIMIENTO, *de viejo; la* VOLUNTAD, *de villano, y la* MEMORIA, *de dama, y* MÚSICOS

Cantan

Madre, la mi madre,
si morena soy,
andando en el campo
me ha tostado el sol.
....

Acabando el auto sacramental con otro cantar popular:

A la Ninfa hermosa
cantan los Cielos
tiernas alabanzas
en dulces versos.

DON GIL DE LAS CALZAS VERDES

Personajes: 17, aparte los músicos

La escena, en Madrid

ACTO PRIMERO

ESCENA PRIMERA

Entrada al Puente de Segovia

DOÑA JUANA, *de hombre, con calzas y vestido todo verde,*
y QUINTANA

QUINTANA

Ya que a vista de Madrid
y en su puente segoviana,
olvidemos, doña Juana,
huertas de Valladolid,
Puerta del Campo, Espolón.
puentes, galeras, Esgueva,
con todo aquello que lleva,
por ser como inquisición
de la pinciana nobleza
(pues cual brazo de justicia,
desterrando su inmundicia,
califica su limpieza);
ya que nos traen tus pesares
a que desta insigne puente
veas la humilde corriente
del enano Manzanares,
que por arenales rojos
corre, y se debe correr,

que en tal puente venga a ser
lágrima de tantos ojos,
¿no sabremos qué ocasión
te ha traído desta traza?
¿Qué peligro te disfraza
de damisela en varón?

DOÑA JUANA

Por agora, no, Quintana.

QUINTANA

Cinco días hace hoy
que mudo contigo voy.
Un lunes por la mañana
en Valladolid quisiste
fiarte de mi lealtad.
Dejaste aquella ciudad,
a esta Corte te partiste,
quedando sola la casa
de la vejez que te adora,
sin ser posible hasta agora
saber de ti lo que pasa,
por conjurarme primero
que no examine qué tienes,
por qué, cómo o dónde vienes;
y yo, humilde majadero,
callo y camino tras ti,
haciendo más conjeturas
que un matemático a escuras.
¿Dónde me llevas ansí?
Aclara mi confusión
si a lástima te he movido,
que si contigo he venido,
fue tu determinación,
de suerte que, temeroso
de que si sola salías
a riesgo tu honor ponías,

tuve por más provechoso
seguirte y ser de tu honor
guardajoyas que quedar,
yéndote tú, a consolar
las congojas del señor.
Ten ya compasión de mí,
que suspensa el alma está
hasta saberlo.

DOÑA JUANA

Será
para admirarte. Oye.

QUINTANA

Di.

DOÑA JUANA

Dos meses ha que pasó
la Pascua, que por abril
viste bizarra los campos
de felpas y de tabís,
cuando a la puente (que a medias
hicieron, a lo que oí,
Pero Ansúrez y su esposa)
va todo Valladolid.
Iba yo con los demás;
pero no sé si volví,
a lo menos con el alma,
que no he vuelto a reducir,
porque junto a la Victoria
un Adonis bello vi,
que a mil Venus daba amores,
y a mil Martes, celos mil.
Diome un vuelco el corazón,
porque amor es alguacil
de las almas, y temblé
como a la justicia vi.

Tropecé, sí, con los pies,
con los ojos al salir,
la libertad en la cara,
en el umbral de un chapín.
Llegó, descalzado el guante,
una mano de marfil
a tenerme de su mano...,
¡qué bien me tuvo, ay de mí!,
y diciéndome: «Señora,
tened, que no es bien que así
imite al querub soberbio
cayendo tal serafín.»
Un guante me llevó en prendas
del alma, y si he de decir
la verdad, dentro del guante
el alma que le ofrecí.
Toda aquella tarde corta
(digo corta para mí,
que aunque las de abril son largas,
mi amor no las juzgó ansí)
bebió el alma por los ojos,
sin poderse resistir,
el veneno que brindaba
su talle airoso y gentil.
Acostóse el sol de envidia,
y llegóse a despedir
de mí al estribo de un coche,
adonde supo fingir
amores, celos, firmezas,
suspirar, temer, sentir,
ausencias, desdén, mudanzas
y otros embelecos mil
con que, engañándome el alma,
Troya soy, si Escitia fui.
Entré en casa enajenada.
Si amaste, juzga por ti
en desvelos principiantes
qué tal llegué. No dormí,

no sosegué; parecióme
que, olvidado de salir,
el sol ya se desdeñaba
de dorar nuestro cenit.
Levantéme con ojeras,
desojada por abrir
un balcón, de donde luego
mi adorado ingrato vi.
Aprestó desde aquel día
asaltos para batir
mi libertad descuidada.
Dio en servirme desde allí;
papeles leí de día,
músicas de noche oí,
joyas recibí, y ya sabes
qué se sigue al recibir.
¿Para qué te canso en esto?
En dos meses, don Martín
de Guzmán (que así se llama
quien me obliga a andar ansí)
allanó dificultades,
tan arduas de resistir
en quien ama, cuanto amor
invencible todo ardid.
Diome palabra de esposo;
pero fue palabra, en fin,
tan pródiga en las promesas
como avara en el cumplir.
Llegó a oídos de su padre
(debióselo de decir
mi desdicha) nuestro amor,
y aunque sabe que nací,
si no tan rica, tan noble,
el oro, que es sangre vil,
que califica intereses,
un portillo supo abrir
en su codicia. ¡Qué mucho,
siendo él viejo, y yo, infeliz!

Ofrecióse un casamiento
de una doña Inés, que aquí,
con setenta mil ducados,
se hace adorar y aplaudir.
Escribió su viejo padre
al padre de don Martín,
pidiéndole para yerno;
no se atrevió a dar el sí
claramente, por saber
que era forzoso salir
a la causa mi deshonra.
Oye una industria civil.
Previno postas el viejo
e hizo a mi esposo partir
a esta Corte, toda engaños;
ya, Quintana, está en Madrid.
Díjole que se mudase
el nombre de don Martín,
atajando inconvenientes,
en el nombre de don Gil;
porque si de parte mía
viniese en su busca aquí
la justicia, deslumbrase
su diligencia este ardid.
Escribió luego a don Pedro
Mendoza y Velastegui,
padre de mi opositora,
dándole en él a sentir
el pesar de que impidiese
la liviandad juvenil
de su hijo el concluirse
casamiento tan feliz;
que por estar desposado
con doña Juana Solís,
si bien noble, no tan rica
como pudiera elegir,
enviaba en su lugar,
y en vez de su hijo, a un don Gil

de no sé quién, de lo bueno
que ilustra a Valladolid.
Partióse con este embuste;
mas la sospecha, adalid
lince de los pensamientos,
y Argos cauteloso en mí,
adivinó mis desgracias,
sabiéndolas descubrir
el oro que en dos diamantes
bastante son para abrir
secretos de cal y canto.
Supe todo el caso, en fin,
y la distancia que hay
del prometer al cumplir.
Saqué fuerzas de flaqueza,
dejé el temor femenil,
diome alientos el agravio,
y de la industria adquirí
la determinación cuerda:
porque pocas veces vi
no vencer la diligencia
cualquier fortuna infeliz.
Disfracéme como ves,
y fiándome de ti,
a la fortuna me arrojo,
y a puerto pienso salir.
Dos días ha que mi amante,
cuando mucho, está en Madrid.
Mi amor midió sus jornadas.
¿Y quién duda, siendo así,
que no habrá visto a don Pedro
sin primero prevenir
galas conque enamorar
y trazas conque mentir?
Yo, pues, que he de ser estorbo
de su ciego frenesí,
a vista tengo que andar
de mi ingrato don Martín,

malogrando cuanto hiciere:
el cómo, déjalo a mí.
Para que no me conozca
(que no hará vestida ansí),
falta sólo que te ausentes,
no me descubran por ti.
Vallecas dista una legua;
disponte luego a partir
allá, que de cualquier cosa,
o próspera o infeliz,
con los que a vender pan vienen
de allá, te podré escribir.

QUINTANA

Verdaderas has sacado
las fábulas de Merlín.
No te quiero acongojar.
Dios te deje conseguir
el fin de tus esperanzas.

DOÑA JUANA

Adiós.

QUINTANA

¿Escribirás?

DOÑA JUANA

Sí.
(Vase QUINTANA.)

LA HUERTA DE JUAN FERNANDEZ

La primera escena pasa en una venta, más allá de Valdemoro; el resto de la acción, en Madrid y en una huerta inmediata

ACTO PRIMERO

ESCENA PRIMERA

Campo con vista de una venta

DOÑA PETRONILA, *vestida de hombre y en traje de camino, con botas y espuelas;* TOMASA, *también de hombre y con lacayuelo, el capotillo con muchas cintas*

TOMASA *(Saliendo de la venta.)*

Un cuartillo de cebada
le basta y sobra; que en fin
es pollino, y no rocín.

DOÑA PETRONILA

¿Hacéis a Madrid jornada,
gentil hombre?

TOMASA

A su servicio.

DOÑA PETRONILA

¿De dónde?

TOMASA

Hoy salí de Ocaña.

DOÑA PETRONILA

¿Vais solo?

TOMASA

No me acompaña
sino un jumento, novicio
en la albarda, porque es nuevo
y anteayer se destetó.

DOÑA PETRONILA

Si tres leguas caminó,
no me parece, mancebo,
que es el pienso suficiente
de un cuartillo.

TOMASA

Coma paja.

DOÑA PETRONILA

Quien no come, no trabaja.

TOMASA

Como pobre se sustente,
que no tiene de igualarse,
dando ocasión a la gula,
un asno con una mula.
La paja ha de compararse
en las bestias con el pan,
la cebada con el queso;
y ya sabéis, según eso,
que es poco el queso que dan.
¿Por qué pensáis vos que España
va, señor, tan decaída?
Porque el vestido y comida
su gente empobrece y daña.
Dadme vos que cada cual

comiera como quien es,
el marqués como marqués,
como pobre el oficial.
Vistiérase el zapatero
como pide el cordobán,
sin romper el gorgorán
quien tiene el caudal de cuero.
No gastara la mulata
manto fino de Sevilla,
ni cubriera la virilla
el medio chapín de plata.
Si el que pasteliza en pelo,
sale a costa del gigote,
el domingo de picote,
y el viernes de terciopelo;
cena el zurrador besugo,
y el sastre come lamprea,
y hay quien en la corte vea
como a un señor el verdugo.
¿Qué perdición no se aguarda
de nuestra pobre Castilla?
El caballo traiga silla,
y el jumento vista albarda;
coma aquél un celemín
y un cuartillo a esotro den;
porque el jumento no es bien
que le igualen al rocín.

Doña Petronila

No os han de faltar molestias
si no templáis ese humor,
y os pudrís reformador,
comenzando por las bestias.
¿Quién diablos os mete a vos,
tan mozo, en esos pesares?
Los vestidos y manjares,
comunes los hizo Dios.

TOMASA

Engañáisos.

DOÑA PETRONILA

¿Que me engaño?

TOMASA

Perdonadme esta simpleza.
¿Por qué hizo Naturaleza
el tabí, la seda, el paño,
la holanda, el cambray y estopa,
distintos al tacto y vista?
Porque cada cual se vista
según su estado la ropa.
Dentro de una misma especie
hallaréis que el universo
hizo su manjar diverso,
de que cada cual se precie.
El racimo moscatel
y albillo, que al noble pinta;
la cepa jaén y tinta
para el que rompe buriel.
El noble melocotón,
que deleita al caballero,
con el durazno grosero
para los que no lo son;
la amacena regalada,
que el delicado conozca.
La chabacana, más tosca,
para el pobre dedicada.
Ofrece una misma granja,
en fe desta distinción,
para el príncipe el limón,
para el no tal la naranja.
En el campo y el vergel
la primavera arrebola
para el pastor la amapola,
para la dama el clavel.

El jazmín que al muro sobre,
al rico aromas derrama,
al oficial la retama,
tomillo y romero al pobre.
Pues ¿por qué, ¡cuerpo de tal!,
si hizo el cielo distinción
del abadejo y salmón,
no comerá el oficial
aquel que importa a su esfera,
y el pobre jornal que saca?
Paciendo para él la vaca,
¿ha de gastarse en ternera?
Están los hombres perdidos.
No lo entiendo, vive Dios.

Doña Petronila

Ya se labra para vos
hospital de los podridos.
Dejaos deso, por mi vida;
que aunque con sal reprendéis,
imposibles pretendéis.
Mientras guisan la comida
de esa venta, y mi mesa
alegráis, a que os convido,
si lo que muestra el vestido
vuestra inclinación profesa,
decidme de quién sois paje.

Tomasa

Helo sido de jineta
de un capitán que sujeta
la voluntad a mi ultraje.
Alojóse en mi lugar
(Cabañas de Yepes es).
Estuvo en Ocaña un mes;
procuréle regalar
en mi casa labradora,

y el hospedaje pagó
en que della nos llevó
una hermana que le adora.

DOÑA PETRONILA

Paga siempre ansí el soldado.

TOMASA

Salí ofendido tras él
quejándome, y el cruel
dejóme a un olivo atado.
Sé que en la corte ha de estar,
y voy a darle noticia
al rey y a pedir justicia.

DOÑA PETRONILA

Fácil la vendréis a hallar;
que la que a Madrid gobierna
no sufre burlas agora.
Buscaréis labradora,
con plumas y galas tierna,
y entre tanto, si queréis
servirme, estaréis conmigo.

TOMASA

Por lo desbarbado, digo
(Señálale la barba.)
que igual elección hacéis.
Vuestro soy desde este día;
que engendra la semejanza
amor, y tengo esperanza
de que en vuestra compañía
tengo que hallar buen despacho
del agravio que recelo;
ya soy vuestro lacayuelo,
a lo aragonés, regacho.

Mudad, señor, en tú el vos;
que el vos en los caballeros
es bueno para escuderos.

DOÑA PETRONILA

Donaire tienes, por Dios.

TOMASA

¡Oh! Pues veréis maravillas,
y sabréis historias largas.

DOÑA PETRONILA

¿Es tu nombre?

TOMASA

Hasta aquí, Vargas;
pero para vos, Varguillas.
¿Y el vuestro?

DOÑA PETRONILA

Don Gómez.

TOMASA

¡Bravo!
¿La patria?

DOÑA PETRONILA

Jaén.

TOMASA

Mejor.
Seréis hombre de valor.

DOÑA PETRONILA

Téngole, mas no me alabo.

TOMASA

¿Y a qué a la corte venís?

DOÑA PETRONILA

A casarme.

TOMASA

No lo apruebo.

DOÑA PETRONILA

¿Por qué?

TOMASA

Porque apenas huevo,
de la cáscara salís,
y ya aspiráis para gallo,
nazcan las plumas primero;
probad a Madrid soltero;
quizá después de proballo,
mudaréis de parecer.

DOÑA PETRONILA

Llámame un suegro hacendado,
con un ángel que pintado,
aunque le nombran mujer,
en belleza es superior.

TOMASA

Renegad de quien tal pinta:
diz que hay ángeles en cinta
en ese lugar, señor;
como está Madrid sin cerca,
a todo gusto da entrada:
nombre hay de Puerta Cerrada;
mas pásala quien se acerca.
Doncella y corte son cosas
que implican contradicción.

DOÑA PETRONILA

¿Malicioso?

TOMASA

Y con razón.
Las ciruelas más sabrosas,
mientras con su flor se están,
en el árbol se aseguran;
pero al momento maduran
que a la banasta las dan.
Una doncella en su casa
ciruela en el árbol es,
que a veces, de treinta y tres,
es con flor, ciruela pasa.
Pero en Madrid no hay ninguna
que sea lo que parece,
porque naciendo, se mece
en un coche en vez de cuna,
con que a madurarse basta,
cochizando de día y noche;
que, en fin, doncellas en coche
son ciruelas en banasta.

DOÑA PETRONILA

Y vos un grande bellaco.
Mucho os tengo de querer;
vamos agora a comer.

TOMASA

Si yo de Madrid os saco,
madrigado entendimiento
me prometo.

DOÑA PETRONILA

Dad cebada
sin tasa en esta jornada,
Vargas, al pobre jumento,
que en llegando a Valdemoro,
le venderéis, y allí habrá
mula en que vais.

TOMASA

Comprará
quien le ferie un asno de oro
como el que Apuleyo pinta.

DOÑA PETRONILA

¿Cómo?

TOMASA

Sabe caminar,
siendo jumento, y callar;
que es gracia de otros distinta.
Que el jumento no merece
nombre de tal, si se halla
deste humor, pues mientras calla
el necio, no lo parece;
y hay otros mil que procuran
cobrar nombre de discretos,
que contra ajenos defetos
rebuznan cuando murmuran.
¡Qué dellos ocupan sillas,
dignos de albardas!

DOÑA PETRONILA

Comamos.

TOMASA

Lampiña, don Gómez, vamos.

DOÑA PETRONILA

Sígame, señor Varguillas.

ESCENA II

La huerta de Juan Fernández, extramuros de Madrid

DON HERNANDO, *de jardinero;* LAURA, *de dama*

DON HERNANDO

Permitid, Laura mía,
que mis sabrosos males,
destas flores haciendo tribunales,
sitial y trono desta fuente fría,
formen de vos querellas,
y os digan mis agravios,
vos la acusada, los testigos ellas;
serviránles de labios
estos claveles bellos,
quejándome de vos por todos ellos.
Tres meses los sayales
en esta huerta, de Madrid recreo,
me ofrecen bienes y me ferian males.
Jardinero de amor por vos me veo,
vestido de esperanzas,
que en tristes dilaciones
se engolfan, por recelos de mudanzas,
de quimeras de amor, de suspensiones;
y apenas descubierto
de lejos miro el puerto,
cuando vientos contrarios se resuelven
a perseguirme y a engolfarme vuelven;
porque el amor que mi lealtad conoce,
la playa llegue a ver, y no la goce.
Heredé de mi patria las desdichas
que significa el nombre
que le dio el fundador suyo primero:
Málaga la llamó, por que me asombre,

pues comenzando en *mal,* no tendrá dichas
quien es de las desgracias heredero.
Di muerte a un caballero
por celos de una dama;
temí a los ofendidos;
partíme a Italia por cohechar olvidos;
amparóme el de Feria, cuya fama,
digna de eternizarse entre pinceles,
vuela, con plumas no, mas con laureles,
servíle capitán de infantería,
y Marte, fuego que el de amor enfría,
favorable conmigo,
hizo a Milán testigo
de que aunque sólo ausente y desdeñado,
salí, si amante no, feliz soldado.
Acabóse la guerra,
publicóse la paz en el Piamonte;
llamábame mi tierra;
fue forzoso, mudando su horizonte,
pretender en Madrid premios debidos
al riesgo de dos años.
Saqué papeles bien favorecidos
del duque; mas pagaron desengaños
hazañas; que a los fieles
se les vuelven mortajas los papeles.
Nombróse camarada
Pompeyo, vuestro tío, en la jornada
a que le dio motivo vuestro pleito;
díjome que, aunque deudo, os competía
(en contar mis desdichas me deleito),
porque al condado justa acción tenía,
que en Valencia del Po, por sucesor,
de vuestro padre, vuestro nombre adora.
Llegamos a esta corte
de quien sois el Apolo, el alba, el norte;
supimos que esta quinta,
que eternos mayos en sus cuadros pinta,
huéspeda os adulaba;

visitóos vuestro tío;
que entre la sangre que el valor alaba
(puesto que sea el pleito desafío),
pelean los letrados y oficiales,
hacen campos de guerra tribunales,
ejércitos testigos
y litigan los nobles como amigos.
Merecí, Laura hermosa,
veros para perderme;
que mata el áspid cuando en flores duerme.
Vi en vuestro rostro de clavel y rosa
dorados girasoles;
jazmines en su cuello trasladados;
en vos vi muchos soles,
puesto que en vuestros ojos duplicado;
vi, en fin, la nieve en fuego,
costándome el miraros quedar ciego.
Partióse brevemente
el conde, que vencido
en el pleito presente,
y victoriosa vos, habéis podido
con la justicia vuestra.
Y más con la hermosura,
dar en la Corte muestra,
que competir con vos será locura.
....

LAURA

¡Ay don Hernando Cortés!
¡Qué bien sigues el estilo
de la Corte presurosa,
porque te dio su apellido!

TANTO ES LO DE MAS COMO LO DE MENOS

La escena en Palestina y Egipto

ACTO PRIMERO

Casa de Felicia en Jerusalén

Salen NINEUCIO, LIBERIO *y* LÁZARO

NINEUCIO

En fin, ¿en mi competencia
amáis los dos a Felicia?

LIBERIO

No siempre guarda justicia
el juez que ciego sentencia;
y siendo ciego el amor,
cuando te venga a escoger
Felicia, por ser mujer,
vendrá a escoger lo peor.

NINEUCIO

No imagines que me afrento
de tu loca mocedad,
que yerra tu voluntad,
pero no tu entendimiento;
que éste, por torpe que sea,
confesará, aunque forzado,
que no hay hombre afortunado
que el bien que gozo posea.

No hay caudal ni posesión
que en Palestina pretenda
ser réditos de mi hacienda;
casi mis vasallos son
cuantos en Jerusalén
saben mis bienes inmensos:
sus casas me pagan censos,
sus posesiones también.
Desde el Nilo hasta el Jordán,
Ceres me rinde tributo;
cada año a Baco disfruto
desde Bersabé hasta Dan.
A la arismética afrenta
la suma de mi tesoro,
pues entre mi plata y oro
se halla alcanzada la cuenta.
De suerte el planeta real
con diamantes me enriquece
y esmeraldas, que parece
que traigo el sol a jornal.
Las ondas del mar, si a verlas
llego, son tan liberales,
que en nácares y en corales
me ofrecen púrpura y perlas.
Mi mesa es la cifra y suma
donde el gusto no preserva
desde el árbol a la yerba,
desde la escama a la pluma.
Y a tal gloria me provoco,
que conforme a lo que escucho,
para rey me sobra mucho,
para Dios me falta poco.
Si de esto tenéis noticia,
¿no será temeridad,
viendo mi felicidad,
que pretendáis a Felicia?

LIBERIO

Ponderativo has estado.
Rico y poderoso eres;
mas no es razón que exageres
con tal soberbia tu estado.
Arrogante, a Dios te igualas
y a nadie te comunicas;
caudaloso te publicas,
y a ti solo te regalas.
El bien es comunicable;
Dios es bien universal;
tú para ti liberal,
para todos, miserable.
Podremos sacar de aquí
(aunque te injuries) los dos
que no es bueno para Dios
quien es todo para sí.
Yo en las riquezas no fundo
la pretensión de mi amor;
que, en fin, soy hijo menor;
pues me hizo el cielo segundo;
en las partes personales
con que me aventajo, sí:
de ilustre sangre nací;
dotes tengo naturales.
Juventud y gentileza
es el tesoro mayor
para los gustos de amor,
cuyo objeto es la belleza.
En esta felicidad
hallarás tus desengaños:
no quita el oro los años,
hallo que alegando está
Lázaro merecimientos
de valor y estima igual.
Considérole apacible,

virtüoso y principal,
bienhechor de sus vecinos,
amado en esta ciudad.
Bien pudieran tantas partes
reducir mi libertad,
si no le contrapusiera,
Nineucio, prosperidad
de este siglo, mayorazgo
de la fortuna, caudal
del contento y la riqueza,
que en él colmados están.

(*A* Liberio.)

En fin, halla en vos el gusto
gentileza y mocedad;

(*A* Lázaro.)

en vos prudencia y virtud;

(*A* Nineucio.)

en vos halla autoridad
y riqueza el interés;
colegid ¡cuál estará
quien ha de escoger al uno
y perder a los demás!
Pero pues ha de ser fuerza,
y Felicia me llamáis,
la inclinación determino
con el nombre conformar.
Felicia soy: solamente
aquel mi dueño será
que poseyere en su estado
la humana felicidad.
Vos, Liberio, mientras vive
vuestro padre, y a él estáis
sujeto, hijo de familias,
tasándoos la cortedad
de su vejez alimentos;
mal os podréis alabar

de ser feliz, pues consiste
el serlo en la libertad.
Juventud y bizarría
son venturas al quitar,
que o el tiempo las tiraniza,
o postra la enfermedad.
En espera sois dichoso;
martirio es el esperar;
dichas presentes procuro,
pues que tardan, perdonad.
Y vos, Lázaro, también;
que puesto que sea verdad
que os den fama las virtudes,
que piadoso ejercitáis,
ya remediando pobrezas,
componiendo pleitos ya;
entre tanto que adquirís,
a costa de la mortal,
la felicidad eterna
a que piadoso aspiráis,
disipando vuestra hacienda
y faltandoos el caudal,
fuerza es, casando con vos,
que también falte la paz.
En la casa de Nineucio
no halló la necesidad
puerta franca, ni hasta ahora
ha entrado en ella el pesar.
La abundancia es quien la habita,
y hasta ella corriendo van
los deleites como ríos,
por ser Nineucio su mar.
Llámale *Rico Avariento*
la murmuración vulgar,
porque con ellos no gasta
los bienes que Dios le da.
Miente el vulgo; que el avaro,

solo por acrecentar
riqueza a riqueza, es
verdugo de sí mortal.
Cuando más rico, es más pobre;
no come por no gastar;
en la casa de Nineucio,
desde el retrete al zaguán,
toda huele a ostentación,
toda sabe a majestad.
Sus paredes cubren telas;
sus artesones están
compitiendo en sus labores
con la esfera celestial.
Viso delicado viste,
arrastra púrpura real;
sobre blandas plumas duerme;
en carrozas fuera va.
Luego no será avariento
quien, consigo liberal,
no malogra sus riquezas
y bienes con los demás.
Si es Nineucio, pues, tan rico...
Discretos sois; sentenciad
el pleito de vuestro amor,
que entre tanto que envidiais
mi elección y su poder,
él y yo con yugo igual
al triunfo de amor unidos,
consagraremos su altar.

(Da la mano a NINEUCIO.)

NINEUCIO

Consolaos el uno al otro,
y uno de otro me vengad.
Rico soy: Felicia es mía;
cuerdos seréis si sacáis,
en mi abono y vuestra afrenta,

que aunque él bien partido está
en honesto y deleitable,
no hay bien sin utilidad.

(Retíranse NINEUCIO *y* FELICIA. LIBERIO *y* LÁZARO *manifiestan sus afectos respecto a la dama perdida.* LIBERIO *la desprecia y maldice.* LÁZARO *le agradece su desdén y consagra su amor a Dios.)*

LOS LAGOS DE SAN VICENTE

Trozo del acto primero

En los altos de unos riscos, PASCUAL, *villano muy a lo grosero, con un cayado y una honda. Por la mitad de los riscos, el rey*

DON FERNANDO, *de caza*

PASCUAL

¡Aho!, que espantáis el cabrío.
¡Verá por dó se metió!
Valga el diabro al que os parió.
Echá por acá, jodío.
Teneos, el abigarrado.

FERNANDO

Enriscado me perdí.
Pastor, acércate aquí.

PASCUAL

Sí, acercáosle. ¡Qué espetado!
Pues yo os juro a non de san,
que si avisaros no bonda,
y escopetina la honda
tres libras de mazapán
(mejor diré mazapiedra...).
¡Aho!, que se mos descarria
el hato.

FERNANDO

Escucha.

PASCUAL

Aun sería
el diabro. ¡Verá la medra
con que mos vino! Arre allá,
hombre del diablo; ¿estás loco?
Ve bajando poco a poco;
no por ahí, ancia acá.
Voto a san, si te deslizas...

FERNANDO

Acerca, dame la mano.

PASCUAL

Que has de llegar a lo llano
bueno para longanizas.
(Alárgale el bastón para que se tenga a él.)
Agarraos a este garrote.
¿Quién diabros por aquí os trujo?
Teneos bien; que si os rempujo,
no doy por vueso cogote
un pito.

FERNANDO

¿Qué sierra es esta?

PASCUAL

La Bureva de Castilla.

FERNANDO

¡Notables riscos!

PASCUAL

Mancilla
vos tengo.

FERNANDO

¡Qué extraña cuesta!

PASCUAL

Llámase espanta roínes.

FERNANDO

No sé yo que haya en España
tan escabrosa montaña.

PASCUAL

Mala es para con chapines.
Dad acá la mano.

FERNANDO

Toma.
(Van bajando.)

PASCUAL *(Reparando en el guante del rey.)*

¿Hay mano con tal brandura?
O sois vagamundo, o cura.
Echad por aquesta loma.
Con tiento, aho; que caeréis.

FERNANDO

¡Hay peñas más enriscadas!

PASCUAL

¿Manos de lana, y peinadas
guadajas? ¡Aho!, no me oléis
a poleo; pregue a Dios
que no encarezcáis la leña.

FERNANDO

No malicies.

PASCUAL

Pues ¿hay dueña
que las tenga como vos?

FERNANDO

¿Nunca viste guantes?

PASCUAL

¿Qué?

FERNANDO *(Vase descalzando el guante.)*

Estos.

(Aparte.)

Simple es el villano.

PASCUAL

¡Aho!, que os desolláis la mano.
¿Estáis borracho? A la hé
que debéis ser hachicero.
¡El pellejo se ha quitado,
y la mano le ha quedado
sana, apartada del cuero!
Las mías, el bazadon
las ha enforrado de callos;
pues que sabéis desollallos,
hedme alguna encantación,
o endilgadme vos el cómo
se quitan; que Mari Pabros
se suele dar a los diabros
cuando la barba la tomo.

FERNANDO *(Aparte.)*

¡Sazonada rustiqueza!

PASCUAL

Por aquí; que poco falta
de la sierra.

FERNANDO

Ella es bien alta,
y asombrosa su aspereza.

PASCUAL

Y decir, por vuesa vida:
¡qué!, ¿se puede desollar
la mano sin desangrar,
quedando entera y guarrida?

FERNANDO

Anda, necio; la que ves,
es una piel de cabrito
o cordobán.

PASCUAL

Sí, bonito
soy yo...

FERNANDO

Adóbanla después,
y ajustándola a la mano,
del aire y sol la defiende.

PASCUAL

¡Qué bueno! O sois brujo o duende.
¿Pensáis, aunque so serrano,
burlarme? ¿No está apegada
con la carne acotra?

FERNANDO

No.

PASCUAL

¿No os la vi desollar yo?

FERNANDO

Estaba en ella encerrada
como tu pie en esa abarca.

PASCUAL

Si las atáis por traviesas,
dejáradeslas vos presas
o metidas en el arca.
Mari Pabros me pedía
la mía de matrimeño;
y yo como amor la enseño,
dándola aquesta vacía,
burlada se quedará
si por Olalla la dejo;
que hay mano que da el pellejo,
pero no la veluntá.
Y porque ya estáis abajo,
a Dios; que all hato me vo.

FERNANDO

Quiero desempeñar yo
las deudas de tu trabajo.
Toma este anillo.

PASCUAL

¿Este qué?

FERNANDO

Anillo es de oro.

PASCUAL

¡Verá!
De prata los hay acá
mejores; se le daré
a Mari Pabros, señor.
¿Qué es esto que relumbrina?

FERNANDO

Un diamante, piedra fina.

PASCUAL

¿Lo que llaman esprendor
el cura y el boticario?

FERNANDO

¿Quién?

PASCUAL

Un par de entendimientos,
que a falta de pensamientos,
mos habran tras-ordinario;
y hay en nueso puebro quien
mos avisa: «Estos que oís,
echan al pan negro anís,
para que mos sepa bien.»

ARGUMENTOS DE ALGUNAS OBRAS DE TIRSO

LA VIDA DE HERODES

Guerreando Herodes en Armenia por orden de Antípatro, su padre, vio en un castillo un retrato de la hermosísima Mariamne, princesa de Jerusalén, y enamoróse de ella. Volviendo victorioso a Ascalón, supo que Faselo, su hermano, iba a ser esposo de Mariamne, noticia que irritó vivamente su carácter arrebatado y celoso. Determinado a estorbar las bodas de Faselo, parte de Ascalón a Jerusalén, y tiene la fortuna de socorrer a la princesa, que, habiendo salido a cazar, se había caído del caballo y quedándose del golpe sin sentido. Disfrázase de pastor Herodes para ir poco a poco descubriendo su amor a Mariamne, que al fin le prefiere a Faselo, el cual, deseando vengarse de su hermano y servir a Marco Antonio, que le pedía en una carta se apoderase de Herodes y se lo enviara preso, cumple el encargo del triunviro y prende a Herodes. Augusto, al marchar a Egipto contra Marco Antonio, libra a Herodes, que era parcial suyo, le hace nombrar rey de Jerusalén y le constituye árbitro de la suerte de Faselo. Mariamne, entre tanto, había quedado encomendada por Herodes al cuidado de Josefo: cae en manos de Herodes una carta que le hace sospechar de la virtud de su esposa; oye una conversación de Mariamne y Josefo, en que se decían amores inocentemente, porque Josefo representaba el papel de Herodes mismo; y el celoso monarca, sin oír disculpas, condena a los dos a muerte. Danle en esto noticia de los tres Magos que, guiados por una estrella, vienen a adorar al nuevo rey de los judíos, y ordena la degollación de los niños menores de dos años, la de todos los descendientes de David, y hasta la muerte de su propio hijo, para asegurarse del riesgo de ser destronado. El Salvador, que ha nacido en Belén, recibe la adoración de los pastores y los reyes, y Herodes muere rabiando, abrazado con dos niños a quienes él propio había quitado la vida ahogándolos. En el *Tetrarca* de Calderón se ven recuerdos del *Herodes* de Téllez.

EL AQUILES

Ocupan el acto primero las locuras fingidas de Ulises para excusarse de concurrir a la guerra de Troya, y los desahogos de Aquiles, criado por Quirón en unas ásperas montañas que le han comunicado su natural silvestre. En el acto segundo, Tetis ha puesto a Aquiles, disfrazado de mujer, en casa del rey Licomedes, temerosa de que perezca si va al sitio de Troya. El carácter violento y fogoso de un joven de espíritu marcial está bien pintado en la persona de Aquiles: su madre le enseña a hacer una cortesía de dama, y él hace una a lo soldado; los zapatos de tacón estorban, y al querer hacer mejor la reverencia, se cae; un amante de Deidamia, la hija de Licomedes, del cual Aquiles está celoso, le dice algunas galanterías y le pide una mano; él, al dársela, aprieta la del galán tan recio, que le hace gritar de dolor. En el acto tercero viene Ulises, disfrazado de mercader, a descubrir a Aquiles, trayendo, entre muchas joyas, una lanza y una rodela, de las cuales se apodera Aquiles al punto que las ve. Descubierto de este modo, marcha con Ulises a Troya, sin hacer mucho caso de Deidamia, a quien antes quería, y que va en su busca al campo griego vestida de hombre. La comedia acaba sin desenlace, del modo siguiente: Héctor desafía desde las murallas de Troya, con mil cumplimientos, a Aquiles, y le arroja un guante; al querer Aquiles alzarlo con no menor cortesía, se adelanta Patroclo y lo recoge; Policena echa otro guante al hijo de Tetis en señal de favor, y Deidamia, cubierto el rostro, se apodera del guante de la princesa troyana. Aquiles quita a Deidamia y a Patroclo el guante que cada cual ha recogido, porque él solo quiere pelear con Héctor, y poseer el favor de Policena. Patroclo sostiene que él ha de combatir con Héctor antes; Héctor dice que no tiene inconveniente, y así, que le esperen que baje de la muralla; cae el telón, y ambos desafíos quedan para otro día, en una segunda parte de la comedia que el autor ofrece escribir, y que no sabemos si escribió en efecto. Hay motivos para creer que Metastasio tuvo presente la comedia de Téllez para su *Achille in Sciro*.

ESCARMIENTOS PARA EL CUERDO

El desastrado suceso que se ve al fin de esta comedia recae sobre el caballero portugués don Manuel de Sosa, que, habiendo triunfado del pundonor de dos damas principales, se casa con la una, dejando perdida a la otra, como era preciso. Doña María, la infeliz mujer abandonada, madre del niño Diego, a quien lleva en su compañía don Manuel al embarcarse en Goa, donde pasan los actos primero y segundo, echa al pérfido la maldición siguiente:

DOÑA MARÍA DE SILVA *(Muy lejos.)*

Plegue al cielo que no tengas,
crüel, próspero viaje;
el mar, enriscando tierras,
tus pilotos desatine,
desmenuce tus entenas;
tus velas el agua arroje,
tus jarcias todas revuelva;
no te quede mástil sano,
no te deje tabla entera;
diluvios sobre ti caigan
porque zozobres en ellas,
en su piélago agonices,
y si llegares a tierra,
estériles playas llores,
encuentres Libias desiertas,
caribes tu esposa agravien,
indios roben tus riquezas,
la sed mate a tus amigos,
de hambre tus ministros mueran.
Las prendas que más estimes,
ésas en pedazos veas,
pasto de hambrientos leones,
de tigres mortales presas.
No sepan de ti las gentes,
ni otra sepultura tengas

que las silvestres entrañas
de las más bárbaras fieras.
Mas, ¡ay crüel!, tus maldiciones mesmas
son éstas: no te alcancen, que me llevas
la prenda más querida;
por ella ampare Dios tu ingrata vida.

Tan vengativos deseos quedan cumplidos: don Manuel, Leonor, su esposa, y el niño Diego naufragan en la costa de Cafrería, y separados por los negros, vienen a morir de necesidad en las selvas, sirviendo de pasto a los tigres el cadáver del infiel amante. El naufragio de Sosa acaeció a mediados del siglo XVI.

SANTO Y SASTRE

Es la historia de San Homóbono, o más bien son los principales rasgos de la historia del santo, escogidos con acierto y puestos en acción con bastante tino, en buenos versos y sin extravagancias. Dorotea, doncella rica, hija de un mercader de Cremona y pretendida de muchos galanes, se enamora del joven Homóbono la primera vez que le ve, y así se lo declara y se ofrece a ser su esposa, abrazándose con él al tiempo de dejarse tomar la medida de la cintura: el santo huye, como José, dejando la capa. Sobreviene Roberto, su padre: le dice la desenvuelta dama que Homóbono ha intentado profanar su honor, y muestra la capa en prueba; créelo el anciano, cual otro Putifar o Teseo, y afirma que ha de matar a su hijo; asustada Dorotea con la amenaza, confiesa la verdad a Roberto, y le pide que la case con su hijo. La boda se hace, y Dorotea, esclava de su amor, se sujeta a todas las exigencias de la religiosidad de su marido; un incendio destruye la casa donde se celebraba el enlace de los felices esposos; pero se salvan milagrosamente de las llamas Dorotea y los convidados asiéndose a la ropa de Homóbono, a quien respeta la voracidad del fuego. Pobres Dorotea y Homóbono, perdida la hacienda con la pérdida de la casa, Dorotea se queja agriamente a su marido porque gran parte del tiempo que debía emplear en el trabajo lo gasta en devociones y obras de misericordia, y porque todo lo que gana lo da a los pobres. El cielo responde a esta acusación: mientras Homóbono acude a la casa del Señor o visita al enfermo, ángeles cosen por él; cuando le falta limosna que dar, el arca del pan se le llena por milagro; cuando un amante de su mujer quiere robársela, persuadido de que Homóbono no cuida de ella, el ángel del Señor defiende la casa del santo. El autor, cuando bien le parece, concluye la comedia con la muerte de su héroe; y para que no deje de aparecer entre lo más grave y religioso alguna chispa de malicia, se despide de los espectadores con los versos siguientes:

> Esta historia nos enseña
> que para Dios todo es fácil,
> y que en el mundo *es posible*
> ser un hombre *santo y sastre.*

LA PEÑA DE FRANCIA

El hallazgo de la imagen de Nuestra Señora que lleva la advocación de la Peña de Francia, parece que es el principal objeto que se propuso Téllez en esta comedia; pero la ocupan casi toda las rivalidades amorosa y política de los infantes don Enrique y don Pedro, hermanos de don Juan II de Castilla; entre los cuales asoma de cuando en cuando el bienaventurado Simón Vela, que, fugitivo de París, su patria, por no casarse, había venido en traje de romero a Castilla, donde un aviso del cielo le mandaba buscar la Peña de Francia. Danle razón de ella unos carboneros, en cuya compañía marcha al humilde confín que pone término a su peregrinación, cerca de Salamanca. Llegado a él, se siente con hambre, y la Peña se divide, ofreciéndole dentro, para que repare su necesidad, una mesa con manjares; experimenta sed, y brota agua de la Peña. Duérmese después de haber comido, y entonces se desgaja de un risco un pedazo de piedra, que descalabra a Simón para hacerle despertar; y mirando al sitio de donde se desprendió el cascote, descubre una concavidad donde yacía oculta una imagen de la Virgen desde la irrupción de los sarracenos. Sácanla de allí los aldeanos, cuyo auxilio reclama Simón para apartar las piedras; y el rey don Juan, que llega a aquel paraje en busca de don Enrique, ofrece fundar allí un convento. Don Enrique había sacado de Salamanca a doña Catalina, hermana de don Juan, de la cual estaba enamorado; el rey perdona y casa a los amantes. Hay en la comedia un traidor que muere a puñaladas a manos de don Enrique, y declara antes de morir haber calumniado a éste por servir a don Pedro; hay un conde de Urgel anciano, prófugo de su prisión y ocupado en el ejercicio de carbonero, con una hija tan linda y pizpireta como todas las villanas de Téllez, la que, según la costumbre del autor, se deja galantear de un infante, y se casa al fin con el que menos ella y el lector hubieran presumido.

HAZAÑAS DE LOS PIZARROS

(Tres partes)

Todo es dar en una cosa, *Las Amazonas en las Indias* y *La lealtad contra la envidia* son tres comedias en que está compendiada la historia del conquistador del Perú y la de sus hermanos Hernando y Gonzalo: la del último está muy desfigurada, y en los tres dramas se descubre el empeño de engrandecer a esta ilustre familia más de lo que necesita y más de lo que permite la verdad. Francisco Pizarro, héroe de la primera parte, no está pintado en el teatro de sus glorias, sino en España: los amores de su padre, y la niñez, adolescencia y singulares travesuras del hijo llenan los tres actos de la comedia, que acaba siendo de edad de quince años el que después había de destruir el imperio y fundar ciudades.

FAVORECER A TODOS Y AMAR A NINGUNO

(Doña Beatriz de Silva)

Por el título de esta obra se debía creer que era de carácter, y que el autor se había propuesto representar en la protagonista una coqueta. No es sino una sierva de Dios, favorecida milagrosamente por el cielo y fundadora de una Orden.

Doña Beatriz de Silva, dama portuguesa, prima de la reina Isabel, mujer de don Juan II de Castilla, era obsequiada por su rara hermosura de cuatro caballeros castellanos, a quienes solía conceder algún favor honesto y de pura cortesanía, porque los miraba con indiferencia a todos; el mismo rey don Juan, que se prenda también de la hermosa portuguesa, obtiene de ella aún menos que sus competidores. Sabedora la reina de la inclinación de don Juan, se venga en la inocente camarera de un modo terrible: la encierra en un armario, y la tiene allí tres días sin comer, beber ni respirar, donde hubiera muerto bien pronto, a no interponerse la mediación divina. La Virgen socorre, y la aconseja se retire del mundo: obedece Beatriz, huye de Tordesillas a Toledo, y aparécesela en el camino San Antonio de Padua, que le anuncia que saldrá del convento de Santo Domingo el Real para fundar la Orden de la Concepción.

ANTONA GARCIA

Es el mismo argumento de *La heroica Antona García* de Cañizares, que mejoró el plan de Téllez y el carácter de la heroína, pero se quedó muy atrás en lenguaje y versificación.

Antona es una labradora marimacho que se casa y pare dos hijas casi en la escena, que las lleva más adelante en unas alforjas, y pelea como un Cid contra los portugueses. El que quiera saber los desafueros de la soldadesca española en el siglo XVI, que lea esta comedia.

LA FINGIDA ARCADIA

Una condesa italiana, grande admiradora de los versos de Lope, tiene la ocurrencia de declarar a los diversos pretendientes que hay a su mano que sólo ha de dar su corazón al galán que reúna las prendas con que Lope de Vega adornó al pastor imaginario de su Arcadia, llamado Anfriso. Para complacer a la condesa toman todos los amantes nombre y traje pastoril, de cuya competencia resulta preferido al fin un español que estaba disfrazado de jardinero entre la servidumbre de la condesa, como el don Hernando que figura en *La huerta de Juan Fernández*, de cuya comedia hay en ésta un repetido trozo. Otro pasaje hay que tiene semejanza con una escena de *El médico por fuerza*, que escribió Molière.

Habiéndosele trastornado el juicio a la condesa por celos, viene a curarla, fingiéndose médico, un criado del galán español, que trae a su amo vestido de pasante, y le manda pulsar a la enferma para que tenga ocasión de hablarla, mientras el supuesto Hipócrates discurre desatinadamente acerca de la enfermedad con los otros interlocutores. Se ve que a esta situación se asemeja la que hay en la escena sexta del tercer acto de *El médico por fuerza,* donde Sganarelle hace pasar a Leandro por boticario, a fin de proporcionarle una entrevista con Lucinda, socolor de tomarla el pulso.

LA ELECCION POR LA VIRTUD

En esta comedia, que es la crónica de Sixto V hasta ser elegido cardenal, puesta en buenos versos, hay, a vueltas de los numerosos incidentes que abraza, alguna cosa notable, como son los vaticinios diversos que recibe el protagonista acerca de su grandeza futura, los cuales principian desde que, siendo pastor con el nombre de Félix, oye unas palabras que responden a una pregunta que él se hacía a sí mismo sobre su suerte, y le anuncian que ha de ser Pontífice; elegido rey de unas fiestas por los de su pueblo, Castel Montalto, en la pascua de Navidad, un aldeano, queriendo tomar la corona de un San Luis en la iglesia, coje y pone a Félix en la cabeza la tiara de la efigie de un papa. Es también interesante la situación del joven Félix estudiando a escondidas de su padre, vistiéndose de escolar para asistir a las aulas, y tomando luego el traje de campesino para volver a su casa; pero, sobre todo, es bello el amor y respeto filial de Félix, que aun vestido de la púrpura cardenalicia, llega sin reparo a tener el estribo al viejo para que se apee del caballo. Téllez ofrece al fin de esta comedia una segunda parte en que termine la historia de Sixto; se ignora si llegó a escribirla.

LA MEJOR ESPIGADERA

Drama de argumento bíblico: la heroína es Rut, a quien el autor supone hija de un rey de Moab. El betlemita Elimelec, en quien Téllez representa un avaro parecidísimo al Nineucio de *Tan-*

to es lo de más como lo de menos, fatigado de las importunidades que sufre en su tierra, donde, siendo rico, acuden a pedirle socorro mil infelices acosados del hambre que devora a Israel, se marcha al país de los moabitas con su mujer Noemí, a cuya caridad quiere poner tasa, y con sus dos hijos Mahalon y Quelion. Muere Elimelec en Moab, a manos de unos ismaelitas, que se apoderan de sus riquezas; Rut se prenda de Mahalon y se casa con él, anteponiéndolo a Timbreo, joven de sangre real con quien el rey tenía tratada la boda de la princesa.

Timbreo disimula sus celos por espacio de diez años que vive el rey de Moab después del casamiento de Rut; pero muerto el monarca, mata a Mahalon y a su hermano, y reduce a la princesa a la clase de pastora. En el tercer acto, que principia con la exposición de estos sucesos, está puesta en acción toda la historia de Rut desde su venida a Israel con su suegra Noemí hasta su casamiento con Booz, siguiendo con puntualidad el texto sagrado.

EL MAYOR DESENGAÑO

Es el que recibió San Bruno al saber la condenación del canónigo Raimundo Diocres, revelada milagrosamente por él mismo después de su muerte, pues habiendo fallecido Diocres en opinión de santidad y estando celebrándosele las honras, el cadáver del difunto se incorporó por tres veces, y dijo que había sido acusado en el juicio de Dios, sentenciado y condenado a las penas eternas. El desenlace, pues, de esta composición es la escena representada en el terrible cuadro que Vicente Carduccio pintó por el tiempo en que Téllez escribió su comedia, y que traído desde la Cartuja del Paular a Madrid, se hallaba en la galería superior del Museo de la Trinidad.

EL COBARDE MAS VALIENTE

Es aquel sobrino del Cid que figura en varias comedias de nuestro antiguo teatro, principalmente en la que se titula *Vida y muerte del Cid y noble Martín Peláez*, y en una que escribió el siglo pasado el cómico José Concha para hombres solos, la cual se repetía mucho antes por los aficionados de los barrios bajos de Madrid. El mismo pensamiento sirvió luego de base a *La hija del Cid,* tragedia en tres actos de Casimiro Delavigne.

LA ROMERA DE SANTIAGO

Don Ordoño II había tratado el casamiento de su hermana doña Linda con el conde don Lisuardo, a quien antes de celebrar las bodas envía con una embajada a Inglaterra. Esto era a tiempo que el conde de Castilla Garci-Fernández, enamorado de la infanta, había venido a León disfrazado, como embajador de sí mismo, con el ánimo de hacerse amar de doña Linda. Partido de León el conde Lisuardo, halla en el camino a doña Sol, prima del conde de Castilla, que en cumplimiento de un voto iba en romería a Santiago; apasiónase Lisuardo de la peregrina, y atropella su honor. Garci-Fernández, mal acogido de la hermana del rey, fiel a su desposado, se halla presente en León cuando la triste doña Sol pide al rey justicia contra el autor de su deshonra. Descubre entonces García su verdadero nombre, y tomando la defensa de su deuda Sol, reta en duelo al embajador ausente; Ordoño manda a todos callar el suceso, y promete castigar al culpable. Vase, en efecto, Garci-Fernández a Burgos; vuelve Lisuardo a León, condénale el rey a muerte, líbrale de la prisión la infanta. Entre tanto, el conde de Castilla se hallaba otra vez a las puertas de León; persuadido de que el rey ha facilitado la fuga a Lisuardo, desafía a Ordoño; acude el monarca al reto; pero al tiempo de medir las armas se presenta en el campo el fugitivo, dispuesto a hacer frente al castellano. La infanta impide la pelea dando la mano a Garci-Fernández, y don Lisuardo entonces se casa con doña Sol. Hay ediciones de esta comedia en que se atribuye a Luis Vélez de Guevara; y examinándola bien, parece, en efecto, que hay en ella trozos de otra mano que la de Téllez.

LA CONDESA BANDOLERA

También es comedia de asunto piadoso. La condesa Ninfa, enemiga de los hombres primero, y deshonrada después por el duque de Calabria, se hace bandolera y comete mil atrocidades, hasta que, avisada por un ángel en un peligro de muerte, reconoce sus pecados y hace penitencia de ellos en un bosque, donde la duquesa de Calabria la hiere por equivocación, arrojándole un venablo en una cacería, creyendo lanzárselo a una fiera; Ninfa muere de la herida, y el Niño-Dios, que se le aparece en su tránsito, la declara ninfa del cielo.

QUIEN DA LUEGO, DA DOS VECES

La novela de Cervantes titulada *La señora Cornelia*, puesta en acción, variados los nombres y algunos incidentes. El acto primero y el segundo, aunque sobrado libres, están bastante bien versificados.

LA JOYA DE LAS MONTAÑAS

Se reduce esta comedia, muy lánguida y mal versificada, al viaje que la princesa de Bohemia, Orosia, o bien Eurosia, hace a España para casarse con Fortunio, hijo del rey de Aragón García Iñiguez, casamiento que no se verifica porque en los Pirineos se apoderan los moros de la princesa, y por constante en la fe la quitan la vida.

LA VENTURA CON EL NOMBRE

Un rey de Bohemia, a quien el autor da el nombre de Adolfo, habiendo muerto a su hermano Primislao por sucederle en la posesión del reino y de la esposa, se hace tan aborrecible a los grandes, que uno de ellos le mata en el campo y arroja el cadáver a una laguna. Dando el regicida cuenta del hecho a otro áulico, escucha la conversación un aldeano llamado Ventura, joven de despejo y aun algo instruido, el cual, encontrándose después con Basilisa, esposa de Adolfo, experimenta la mayor sorpresa cuando la reina le habla como si fuera su marido y le pregunta la causa de haberse disfrazado en traje campestre; la completa semejanza de Ventura con el difunto Adolfo es causa de esta equivocación, y del espanto que luego padece el matador cuando cree ver a su víctima. Ventura se deja llevar a la corte, donde hace creer a los que están en el secreto de la muerte del rey que es él, que murió en efecto y ha resucitado. Mientras tanto las aguas de la laguna han arrojado el cuerpo de Adolfo; y habiéndolo hallado los habitantes de la aldea donde vivió Ventura, creen que es su convecino, que habría robado aquel traje, siendo muerto después al cometer algún otro delito; de modo que cuando Ventura vuelve al pueblo, todo el vecindario, que le ha visto enterrar, se persuade también que ha vuelto del otro mundo. Con la desaparición del rey resucitado, se hace forzoso revelar la muerte de Adolfo y elegirle sucesor; los sajones invaden el reino; Ventura vuelve a presentarse a los bohemios, los acaudilla, y vencedor de los enemigos de su patria, declara que es un mísero pastor, y pide que se le deje volver a la vida pacífica de la aldea. Oportunísimamente se ha descubierto poco antes que su semejanza con Adolfo nacía de que eran ambos hijos del rey Segismundo; por lo cual los súbditos de su padre le elevan al trono sin reparar en la bastardía de su nacimiento, suficientemente reparada con la prudencia y valor que ha mostrado al reinar bajo el nombre de Adolfo.

LAS QUINAS DE PORTUGAL

Esta composición, mezcla singular de trozos líricos, épicos y de farsa, pero todos bastante bien escritos, tiene por protagonistas a don Alfonso Enríquez, conde y después rey de Portugal por aclamación de sus súbditos. La exposición principia con los mismos versos que la de *Los lagos de San Vicente,* insertos en este volumen, hasta donde dice:

Estos que oís,
echan al pan negro anís
para que mos sepa bien.

Alfonso, buscando a una dama de quien tiene dos hijos, se extravía en los montes de Braga; y partiéndose prodigiosamente unos peñascos, sale de ellos un viejo que le recuerda las glorias de su casa, y le anima a adquirir otras nuevas. Entusiasmado el conde y venciendo su amorosa flaqueza, jura y hace jurar a los suyos no desnudar el arnés hasta lanzar a los moros de Portugal. En cumplimiento de la promesa, toma a Santarem por asalto, y uniendo lo religioso con lo valiente, funda conventos y asiste a oficios divinos con el celo que el sacerdote más fervoroso. Desafiado por un rey moro de Extremadura a batallar de poder a poder en los campos de Ourique, gana, con el favor de Dios, en ellos una gran victoria, en cuya celebridad instituye la Orden militar de Avis. Este triunfo ha sido profetizado a Alfonso por un crucifijo que, desclavando la diestra, le ha entregado la bandera de las Quinas, traída por un ángel, diciéndole estas palabras:

Las armas que a Lusitania
otorga mi amor propicio,
en cinco escudos celestes
han de ser mis llagas cinco.
En forma de cruz se pongan,
y con ellas, en distinto
campo, los treinta dineros
con que el pueblo fementido
me compró el avaro ingrato;
que después, en otro siglo,
tu escudo con el Algarbe
se orlará de sus castillos.

En la Biblioteca Nacional de Madrid hay un manuscrito de esta comedia, parte de una letra y parte de otra muy distinta, que tiene al fin la nota siguiente:

«Todo lo historial de esta comedia se ha sacado con puntualidad verdadera de muchos autores, ansí portugueses como castellanos, especialmente del *Epítome* de Manuel Faría y Sousa, parte 3.ª, cap. 1.º, en la vida del primero conde de Portugal (pág. 339) don Enrique, y en cap. 2.º de la del primer rey de Portugal don Alfonso Enríquez, pág. 349, *et per totum —Item:* del librillo en latín intitulado *De vera Regun Portugaliae Genealogia,* su autor

Duarte Núñez, jurisconsulto, cap. 1.° de *Enrico Portugaliae Rege*, folio 3. —Pero esto y todo lo que además de ello contiene esta presentación, se pone con su autor a los pies de la Santa Madre Iglesia, y al juicio y censura de los que con caridad y suficiencia la enmendaren. En Madrid a 8 de marzo de 1638.»

El Maestro Fray Gabriel Téllez.

Finis coronat opus.

FLORILEGIO CRITICO

«He visto este libro intitulado *Segunda parte de las comedias del maestro Tirso de Molina*, por comisión de don Lorenzo de Iturriçarra, vicario general desta Corte y su partido, no tiene cosas que se opongan a nuestra santa fe y buenas costumbres, antes muchas de ingenioso y honesto entretenimiento; y la fama de su autor merece la licencia que suplica.»

(El licenciado PEDRO DE MATALLANA, *aprobación a esa obra en Madrid, a 10 de noviembre de 1634)*

«Las buenas dotes que distinguen a Tirso, ya como poeta, ya como autor dramático, consisten en su estilo natural, versificación armoniosa y abundante, en su audacia y oportunidad para el manejo del idioma, en la riqueza de sus rimas, en su caudaloso y rápido diálogo, en su modo travieso e ingenioso de contrastar las ideas, en sus sales picantes y epigramáticas, y, en fin, en su expresión, llena de gracia, soltura y amenidad. Los vicios de que adolece, principalmente, consisten en la pobreza e inverosimilitud de sus invenciones, en la mala economía que usa para desenvolver sus fábulas, en la monotonía de los caracteres que pinta, en la demasiada confianza que tiene en la fe de los espectadores y en los propios medios y recursos que le aventajan, y, finalmente, en que sacrifica el decoro de la escena al deseo de lucirse en el diálogo y al de proporcionarse ocasiones de gracejear, acaso con demasiada libertad. Lo cierto es que los hombres de Tirso son siempre tímidos, débiles y juguetes del bello sexo, en tanto que caracteriza a las mujeres como resueltas, intrigantes y fogosas en todas las pasiones que se fundan en el orgullo y la vanidad. Parece a primera vista que su intento ha sido contrastar la frialdad e irresolución de los unos con la vehemencia y aun obstinación que atribuyó a las otras en el arte de seguir una intriga, sin perdonar medio alguno por impropio que sea.»

(AGUSTÍN DURÁN, *en «Talía Española», Madrid, 1834)*

«Una imaginación traviesa y lozana, una filosofía profunda al par que halagüeña, estudio feliz del corazón humano, rica vena poética, gracejo peculiar en el decir y admirable conocimiento de la lengua patria, tales son, entre otras varias cualidades, las que distinguen notablemente a Tirso de la inmensa multitud de autores que con algunas de ellas conseguían por su tiempo alcanzar una parte del aplauso popular... Preciso es confesar, sin embargo, que en medio de tantas prendas relevantes, los dramas de Tirso se distinguen por un grave defecto capital, cual es el de la liviandad en la acción y en la expresión, y en este punto no puede negarse que sus cuadros son sin disputa los más atrevidos que ha consentido nuestra escena. Tiene, además, este insigne poeta la gran recomendación de la originalidad e invención de muchos de los pensamientos dramáticos, que después han hecho fortuna manejados por otros autores, y no pocos de éstos han copiado o imitado a Tirso, sin tener en cuenta lo que le debían. Pero en donde este poeta aventaja a todos los demás dramáticos españoles es en la pintura de costumbres villanescas, que sabe trazar con una verdad y una gracia que no ha tenido rivales, ni siquiera felices imitadores.»

(RAMÓN DE MESONERO ROMANOS, *en «Tirso de Molina», Madrid, 1848)*

«Pues considerado como poeta cómico y satírico, con dificultad se hallará un escritor más fecundo en chistes y donaires, ni que describa mejor las ridiculeces que se propone revelar... Debemos observar también que Tirso sabía describir tan bien como Lope el verdadero amor fiel, constante, entrañado, independiente de la vanidad, del interés y de la desenvoltura.»

(ALBERTO LISTA, *en «Ensayos críticos y literarios», 2.ª edición, Madrid, 1853)*

«A quien—pasada ya, aun en Alemania, la fiebre calderoniana—pocos niegan el segundo lugar entre los maestros de nuestra escena, y aun *son muchos los que resueltamente le otorgan el primero* y el más próximo a Shakespeare, como, sin duda, lo merece, ya que no por el poder de la invención, en que nadie aventajó a Lope —que es por sí sólo una literatura—, a lo menos por la intensidad de la vida poética, por la fuerza creadora de caracteres y por el primor insuperable de los detalles.

»Su alejamiento relativo de aquel ideal caballeresco, en gran parte falso y convencional; su poderoso sentido de la realidad, su alegría franca y sincera, su buena salud intelectual, aquella intuición suya, tan cómica y al mismo tiempo tan poética del mundo; la graciosa frescura de su musa villanesca, su picante ingenuidad, su inagotable malicia, tan candorosa y optimista en el fondo, nos enamoran hoy y tienen la virtud de un bálsamo añejo y confortante, ahuyentador de toda pesadumbre y tedio. Y como Tirso, además de gran poeta realista, es gran poeta romántico y gran poeta simbólico, no hay cambio de gusto que pueda destronarle.

»Tirso superó a Lope en la excelsa virtud de crear criaturas estéticas con alma y carne, creación que es la que más nos asemeja a Dios.»

(MARCELINO MENÉNDEZ Y PELAYO, *en «Estudios de crítica literaria», Madrid, 1895)*

«Aunque la corriente naturalista ensalce hoy sobre todos al mercedario Gabriel Téllez, conocido por *Tirso de Molina*, nosotros, por gusto y por convicción admiradores de la noble poesía idealista, no depondremos nuestra oblación en el ara de la moda, sin negar por eso todo cuanto a nuestro juicio se halle de bueno en las producciones de tan reputado autor. Los amigos del naturalismo, los que tratan a Calderón como a escritor secundario, nos venden a Tirso por un genio. Para nosotros es un escritor cómico de primera fila, y nada más. Su escasa inventiva se revela en la pobreza de los argumentos, pues casi todos se reducen a un galán perseguido por una mujer de quien se ha burlado, o a una dama que se enamora de un hombre de inferior condición. Los varones de Tirso son caricaturas sin brío ni carácter, y las mujeres, hembras livianas y desvergonzadas. Parece que los sexos se invierten, y las mujeres alardean de una libertad y resolución que falta a los hombres. El lenguaje peca de obscenidad, confundiéndose a menudo el chiste con la licencia.

»Su natural aptitud y la práctica del confesonario dotaron a Tirso de profundo conocimiento del corazón humano. No deja de llamar la atención que, siendo maestro en la descripción de costumbres, gustase más de presentar elevados personajes, que de reproducir los cuadros villanescos, tal vez su verdadera especialidad. El señor Durán observa que los personajes de Tirso siempre son españoles por la conducta, por el discurso y por el lenguaje, aunque por voluntad del autor pertenezcan a otros países.

»En resumen, el teatro de Tirso es modelo de gracia, no siempre fina, de costumbres y de facilidad en la versificación.»

(MARIO MÉNDEZ BEJARANO, *en su ensayo de «Historia literaria», 3ª edición, Madrid, 1907)*

«Tirso de Molina es hombre muy diverso de Lope, más cuidadoso artista y agudo estudiante de la naturaleza humana. Téllez sólo cede ante él en amor y en entendimiento de las cosas del pueblo. Sus cantares rítmicos son de los más deliciosos, por su sabor nativo y su encanto musical. Entre los distintos metros irregulares, escogió para darle música especial aquel en que predomina el endecasílabo, imitando las letras populares en las comedias.»

(PEDRO HENRÍQUEZ UREÑA, *en «La versificación irregular en la poesía castellana, pág. 232, Madrid, 1920)*

«El lenguaje de Tirso, en el teatro, no tiene nada de culterano, a no ser que hablen personas culteranas, porque es tan natural y realista, que cada personaje usa el que suele en el mundo, sobresaliendo con todo en el conocimiento y propiedad que tiene y presta a los aldeanos y gente bajuna. Donaires y gracejos chorrean a manta, porque lo que el autor se proponía era hacer pasar un rato agradable a los espectadores con la pintura de la vida real, condimentada con dichos y agudezas, y no menos con anécdotas y cuentos sabrosísimos, en todo lo cual es tan desenfadado, desenvuelto y picarón, que nadie le ha sobrepujado. De anacronismo, de falta de color local, tratándose de épocas antiguas o de tierras extrañas, ni Tirso ni ninguno de los nuestros, de los franceses ni ingleses, hizo el menor caso: siempre los personajes son españoles del siglo XVII. Aun bien que si, por ser fieles en esta parte, hubieran descuidado el realismo en que sobresalen, lo cual suele acontecer, y aun inventar un color local tan falso como el anacrónico de los nuestros, no fueran ciertamente de alabar. Lo viejo y lo extraño, para vivir, tenían que acomodarse al tiempo presente, y esto mueve y es más teatral que el hielo derramado por el teatro francés, donde, queriendo que hablen los personajes antiguos como hablarían en sus añejas edades, no hablan más que un lenguaje postizo y más francés versallesco que antiguo, convirtiéndose de trágicos en cómicos para el que en ello repara.

»Una vez abierto el camino del teatro español de intriga, costumbres y carácter, mérito principal de Lope, el mejor dramaturgo español es, en general y como cómico de ley y recio dramático, *Tirso de Molina.* No tiene la fecundidad inaudita de Lope; pero cada pieza, de por sí, es un trasunto más acabado de la realidad de la vida, y visto y trazado por un ingenio más hondo y perspicaz, más filosófico y tan natural o más que Lope. No tiene, de ordinario, las grandes concepciones ni la ideología simbólica, pero tampoco afecta la bambolla, la falsedad y el mal gusto que Calderón de la Barca. Tirso es minero inagotable de estudio y de admiración, es el más realista, el más psicólogo y el más cómico de los dramaturgos españoles.»

(JULIO CEJADOR Y FRAUCA, *en «Historia de la lengua y literatura castellanas», catorce volúmenes, Madrid, 1918-1924, y en «Revue Hispanique», París-Nueva York, 1923.)*

«Lleno su teatro de figuras interesantes, de un carácter bien sostenido, cada uno, la villana y el señor, el rústico y el gentilhombre, habla apropiado lenguaje, frecuentemente salpicado de ocurrentes expresiones. Acaso cae en el defecto—por su fecundidad—de repetir un tanto sus asuntos, lo mismo que Lope de Vega; pero en cuanto a su ideología es bastante diferente. Para Lope, las damas son siempre honestas, discretas, de una virtud a veces convencional; y, en cambio, las mujeres que pinta fray Gabriel Téllez muéstranse por lo regular algo casquivanas y desenvueltas, provistas, eso sí, de carácter más humano y verdadero.

»Hay, sin embargo, pequeñas excepciones: *Pruebas de amor y amistad* es comedia en la que se presenta una Estrella enamorada, casta y pura; y el bello drama *La prudencia en la mujer* es apología de una mujer española, doña María de Molina, valiente reina y abnegada madre, que consagró su viudez a defender el trono de su hijo contra ambiciosos pretendientes. Tal virtud, no obstante, debe presentárnosla como algo extraordinario Tirso, pues hace decir a don Lope de Haro, generalizando:

> No llegue el tiempo a ofender
> tal valor, pues vengo a ver
> en nuestro siglo terrible
> lo que parece imposible,
> que es *prudencia en la mujer.*

»El lenguaje, por lo general, de todos los clásicos del Siglo de Oro es un poco libre, mas en este punto gana Tirso a todos sus contemporáneos. Las graciosas libertades, sin pizca de gazmoñería, han sido calificadas por algunos de procacidad, de licencia intempestiva en aquel gran maestro del habla y gran creador de figuras humanas. En verdad, sus expresiones, aunque rebosando gracia, no resultan muy decentes para ser leídas en el aula ni ante oídos timoratos. ¿Complacíase el fraile en ese lenguaje indecoroso? Indudablemente, no es eso. Si usa palabras groseras y llama a las cosas por su nombre, aunque éste sea un nombre vulgarote, lo hace de paso, para pintar con realismo la vida y el lenguaje grosero de los rústicos. Es un enclaustrado que se halla por encima de todo eso, y enfrente de la verdad no va a detenerse en palabra más o menos. Lo que sí pasma es considerar por qué milagro de retentiva o de intuición nos demuestra conocer tanto la existencia y el corazón humano quien pasara su vida vistiendo el sayal del religioso...»

(ABIGAIL MEJÍA, *en «Historia de la literatura castellana», págs. 161-66, Barcelona-Madrid, Araluce, 1933)*

«La primera es una obra teológica, en la cual se pretende resolver el conflicto entre la predestinación y el libre albedrío. Pocas veces, aun dentro de la tradición española, se ha conseguido encarnar con igual maestría y tanta fuerza dramática un tema abstracto. Tirso, valiéndose de recursos sobrenaturales y mágicos, pero dando a sus personajes una profunda realidad humana, consigue elevar su obra a una emoción poética que sólo podremos comparar a la del auto *La vida es sueño*, de Calderón. La fuerza patética de la duda—«el pecado no es más que la sombra de la duda»—da el más recio vigor trágico al drama de Tirso, cuya versificación iguala en gracia bucólica a la de Lope en su *Peribáñez* y anuncia la conceptuosa grandeza y la robustez teatral de la de Calderón en *La vida es sueño* y en *El alcalde de Zalamea.*

»Pero la obra que inmortaliza a Tirso es su *Burlador* primero, luego en una cabaña de pescadores levantinos y en Sevilla, matando a un comendador. Después de varios incidentes, en una iglesia hispalense ve la estatua de piedra del comendador que le convida a cenar. Acude don Juan al convite, pero la mano del comendador le abrasa y le mata con un fuego infernal. En trance de muerte, don Juan pide confesión, pero le es negada. Fácilmente se advertirán las diferencias entre esta fábula dramática y los incidentes de la de Zorrilla, de mayor arrebato romántico, pero de menor fuerza poética. El drama de Tirso supera al de Zorrilla en grandeza y perfección literarias y tiene el indudable mérito de haber fijado la leyenda de don Juan dándole la forma que le permitió pasar a todas las literaturas con Corneille, Molière, Villiers, Shawell, Schiller, Byron, y conservar la supremacía de su aristocrática dignidad, junto al satánico hechizo de su cinismo orgulloso y jovial.»

(JUAN CHABÁS, *en «Historia de la literatura española», Barcelona-Madrid, Joaquín Gil, editor, 1936)*

«Poseyó también un gran valor como hablista, en prosa y en verso. Muchos efectos cómicos proceden del dominio del idioma, de su habilidad ingeniosa para convertir los nombres en verbos, de su creación de palabras nuevas, de sacar todas las consecuencias de las semejanzas de sonido y sentido entre varias palabras. Un valor, además concretamente castellano, y más aún madrileño, de la corte de comienzos del siglo XVII, ofrece un aspecto documental y típico de gran mérito en parte de su producción.

»Tirso poseía grandes dotes diversas. Era una alta inteligencia, un espíritu observador y un «virtuoso» de la literatura. A pesar de ser, esencialmente, un gran dramaturgo, dejó ejemplos de condiciones de novelista y cuentista, de historiador y aun de virtuosismo lírico. Deberían estudiarse, por razones de estilo, obras de severo sentido de la historia que no merecen el injusto olvido en que se hallan. Como prosa literaria, descriptiva, novelística, Tirso dejó dos grandes colecciones que corresponden a dos momentos psicológicos diversos de la vida del autor, misceláneas en que al lado de los cuentos y narraciones aparecen poesías líricas y obras de teatro.»

(ANGEL VALBUENA PRAT, *en «Historia de la literatura española, II, Barcelona, 1937)*

«*Caracteres del teatro de Tirso.*—El don supremo de crear caracteres, el más precioso que puede ostentar un poeta dramático, el que hace que sus figuras tengan vida, expresión y realidad, y sean capaces de resistir los cambios de gusto a través del tiempo o del espacio, lo tuvo Tirso en grado eminente. Tirso es el creador de *Don Juan*, el carácter más teatral que ha atravesado la escena, como dijo muy bien el padre Arteaga (el primero entre nuestros estéticos); del Paulo y del Enrico en el *Condenado por desconfiado;* de doña María de Molina y de don Diego López de Haro, en *La prudencia en la mujer;* de *Marta la piadosa* y de otros; y es supremo artista en lo grande y en lo pequeño, en lo colosal y en lo delicado, como se ve en algunas de sus deliciosas figuras femeninas.

»Tirso descolló como nadie en nuestro teatro: en lo teológico, por su *Condenado;* en lo psicológico, por sus caracteres; en lo histórico, por *La prudencia en la mujer* y otras comedias; en lo realista, por el ambiente y por la exactitud de sus traslados; y en lo intencionado, cómico y satírico, que le llevó a pintar tipos tan chistosos como aquel médico que, cabalgando en un macho, parecía ir acompañado de la muerte en sus visitas, por lo que le llamaban la extremaunción, o como aquel otro personaje pancesco que «nunca a Dios llamaba bueno sino después de comer».

»Por estar en nuestro dramático tan acentuadas las condiciones y tendencias realistas, siendo su fantasía y cualidades poéticas tan ricas y variadas, al contrario que Lope, prescindió de lo caballeresco, pastoril y mitológico, y aun de lo propiamente épico. Tirso es insuperable en la naturalidad, verdad y gracia del diálogo, el primero entre nuestros dramáticos en cuanto al lenguaje y estilo, gustando mucho de formar verbos nuevos de nombres, y fue defensor siempre del teatro nacional.»

(Hurtado y González Palencia, *«Historia de la literatura española», 7ª edición, págs. 593-95, Madrid, 1949)*

«Descontado Shakespeare, nuestro teatro sería el primero en la Edad Moderna; pero aun incluyendo a Shakespeare, grande por tener en grado heroico las condiciones más esenciales del dramático, y que más singularmente nos faltaron a nosotros: verdad humana, universalidad en los caracteres y sinceridad en la expresión. Todo ello se da en el *Burlador de Sevilla*, de Tirso, primer creador del tipo de *Don Juan.*

»En *La prudencia en la mujer*—en cuanto al sentido histórico, sigue diciendo la autora citada, máxima figura de los estudios sobre la vida y la obra de fray Gabriel Téllez—, la primera comedia histórica de nuestro teatro, demostró (Tirso) haber comprendido insuperablemente la poesía de la historia medieval. Es una crónica dramática por el estilo de las de Shakespeare, con tanta amplitud, expresión y grandeza como las mejores del poeta inglés. Supo expresar en las comedias de esta clase, y acertó a pintar por maravilloso modo el ambiente, que (transcriben Hurtado y González Palencia) «era la suma realidad que envolvía a los personajes, las múltiples relaciones que lo ataban a su mundo, situando a cada personalidad inventada en su término, en su círculo, en su medio»; y esto con tal poderío de verdad, que, siendo la escena como era entonces un tablado y cuatro lienzos, el personaje respirase en su atmósfera y con los ojos cerrados pudiera vérsele envuelto en toda la pintoresca realidad, que era elemento y órbita de su existir.»

(Doña Blanca de los Ríos, *«Obras completas».)*

«En 1621 Tirso de Molina publica en Madrid su primer libro, *Cigarrales de Toledo.* Es un precioso repertorio que contiene novelas, comedias, versos y divagaciones literarias; uno de esos libros sin arquitectura rígida, abiertos sobre perspectivas floridas e imaginarias, en las que se mueven, cantan, recitan y conversan grupos de damas y caballeros en las huertas (llamadas cigarrales) de las afueras de Toledo, teniendo al fondo la ciudad, unas veces clara, iluminada por el sol, y otras vestida de los verdes tristes y de los grises entonados con que la veía *el Greco*, bajo el cielo frío y amoratado. Este libro es muestra excelente de un ingenio que labró muy pronto su cauce lo mismo en el género lírico que en el dramático y el narrativo.»

(ANTONIO CASTRO LEAL, *«Tirso de Molina y sus obras», Nueva York, La Nueva Democracia, enero de 1949.)*

«Cuando Tirso se olvida de sus tendencias al descaro, a la desfachatez de malignos fondos, y levanta el vuelo a la región noble y severa donde se mueven los grandes poetas, es tan grande como ellos y merece los más francos elogios.

»Pero había en él la alianza de un hombre vulgar y gracioso, que llegaba fácilmente aun a lo grosero para hacer reír a su público, y de otro superior, fino al par que recio, hábil, atractivo y gran estilista, que aparecía cuando a él se le antojaba y, desde luego, en las situaciones excepcionales. Esta doble personalidad produjo obras tan celebradas, que luego fueron fuente de inspiración para diversos poetas.»

(RAMÓN D. PERÉS, *en «Historia de las literaturas modernas y antiguas», de la Biblioteca Hispania, pág. 442.)*

BIBLIOGRAFIA

ADAMS, N. B.: *«Siglo de Oro» plays in Madrid*, 1820-1850 (554 funciones de las comedias de Tirso). En «Hispanic Review», tomo IV, págs. 342-57, año 1936.

ALVAREZ DE BAENA, JOSÉ ANTONIO: *Hijos ilustres de Madrid*, II, 267. Madrid, 1790.

ANÍBAL, C.: *Crítica a «La partida bautismal de Tirso de Molina»*. En «Hispania», tomo X, págs. 325-27, Palo Alto (California), 1929.

ANÓNIMO: *Una obra inédita de Tirso de Molina: «Vida de doña María de Cerbellón»*. En «Revista de Archivos, Bibliotecas y Museos», Madrid, año 1909.

— *Tirso de Molina*. En «The London Literary Supplement», London, 27 junio 1935.

ANTÓN, AVELINO: *En el IV Centenario de la muerte de Tirso de Molina recordamos: que los mejores años de su vida los pasó en Guadalajara en el antiguo convento de la Merced*. En «Nueva Alcarria», Guadalajara, 10 abril 1948.

ANTONIO, NICOLÁS: *Bibliotheca Hispano Nova*. Roma, 1672.

ARAÚJO-COSTA, LUIS: *Representación de «La prudencia en la mujer», de Tirso de Molina, por la insigne actriz Margarita Xirgu, en el Teatro Español*. En «Raza Española», Madrid, 12 A., págs. 141-142 y 24-29.

ARAUZ DE ROBLES, CARLOS: *La patria de fray Gabriel Téllez*. En «El Alcázar», Madrid, 22 mayo 1948.

— *Tirso de Molina en Guadalajara (indudablemente era molinés)*. En «El Alcázar», Madrid, 26 junio 1948.

— *Valoración estética de Tirso*. En «Medina Septa», Ceuta, 1948.

ARCO Y GARAY, RICARDO DEL: *La sociedad española en Tirso de Molina*. En «Revista Internacional de Sociología», tomos VII, VIII, X, XI y XII, Madrid, años 1944-1945.

ARIAS PÉREZ, LIC. PEDRO: *Primavera y flor de los mejores romances que han salido ahora nuevamente en esta corte, recogidos por el...* Dirigido al maestro Tirso de Molina. Madrid, año 1623.

ARTILES RODRÍGUEZ, JENARO: *La partida bautismal de Tirso de Molina.* En «Revista de la Biblioteca, Archivo y Museo del Ayuntamiento», Madrid, octubre 1928, tomo V, págs. 403-11.

ASHONM, B. B.: *The fist builder of boats in el Burlador.* En «Hispanic Review», tomo XI, págs. 328-33, año 1943.

ASTRANA MARÍN, LUIS: *La vida turbulenta de Quevedo.* Editorial Gran Capitán, Madrid, 1945. Nota: Trata abundantemente de Tirso, especialmente en un preámbulo, págs. 579-81, publicando a seguido, íntegro, *El tapaboca, que azotan,* edición de Gerona, 1630, que lleva el subtítulo de *Respuesta del Bachiller Ignorante al Chitón de las Taravillas, que hicieron los Licenciados Todo se Sabe y Todo lo Sabe,* escrito por Lisón y Biedma, como es sabido.

AVRETT, R.: *Tirso and the ducal house of Osuna.* En «Romanic Review», tomo XXX, año 1939, págs. 125-32.

BARRERA Y LEIRADO, CAYETANO ALBERTO DE LA: *Catálogo bibliográfico del teatro antiguo español.* Madrid, 1860.

BELL A., F. G.: *Some notes on Tirso de Molina.* En «Bulletin of Spanish Studies», Liverpool, tomo XVII, 172-203.

BENOT, EDUARDO: *Prosodia castellana: versificación* (un estudio de la versificación castellana, incluyendo ciertos rasgos característicos de la de Tirso). Madrid, 1891.

BOURLAND BENJ, F. *Introducción a su edición de «Don Gil».* Nueva York, 1901.

BOUSSAGOL, GABRIEL: *Quelques mots sur Tirso de Molina.* En «Bulletin Hispanique», Bordeaux, tomo XXXI, año 1929, páginas 147-150.

BOZA MASVIDAL, A.: *Tirso de Molina considerado como poeta trágico.* En «Antillas», tomos IV y V, La Habana, años 1921 y 1922.

BURGOS, FRANCISCO JAVIER DE: *Artículo sobre Tirso en «Comedias escogidas de Tirso de Molina»* (B. A. E., V, XXVI-XXX). Edición Hartzenbusch, Madrid, 1848.

BUSHEE, ALICE HUNTINGTON: *Tirso de Molina, 1648-1848.* En «Hispanic Review», tomo LXXXI, págs. 338-362, Filadelfia, 1933.

— *Theree centuries of Tirso de Molina.* Filadelfia, 1939.

CARRASCAL, JOSÉ MARÍA: *Tirso de Molina triunfa en Berlín. «Don Gil de las calzas verdes» divirtió en gran manera a los espec-*

tadores. Crónica del corresponsal de «Pueblo», Madrid, 21 marzo 1963.

CASALDUERO, JOAQUÍN: *Acotaciones a «El burlador de Sevilla», de Tirso de Molina*. En «Die Meueren Sprachen», tomo XXXVIII, págs. 594-98, Marburg, 1929.

CASTILLO SOLÓRZANO, ALONSO DE: *Donaires del Parnaso* (dedicado a Tirso y aprobación por Tirso). Madrid, 1624.

CASTRO, AMÉRICO: *El Don Juan de Tirso y el de Molière, como personajes barrocos*. Hommage a Ernest Martinenche, páginas 93-111, París, 1939.

CASTRO LEAL, ANTONIO: *Tirso de Molina y sus obras*. En «La Nueva Democracia», Nueva York, 1950.

CASTRO SEOANE, R. P. JOSÉ: *La Merced de Santo Domingo, provincia adoptiva del maestro*. Ensayos sobre la biografía y la obra del padre y maestro fray Gabriel Téllez, *Tirso de Molina*. Revista «Estudios», Madrid, Padres Mercedarios, 1949.

CHARLES, P. (V. E.): *Tirso de Molina*. En su «Voyages d'un critique», París, 1868.

CLARK BARRET, H.: *European theories of the drama*. Nueva York, 1918.

COE ADA, M.: *Catálogo bibliográfico y crítico de las comedias anunciadas en los periódicos de Madrid desde 1661 hasta 1819*. Baltimore, John Hopkins Press, 1935. (Contiene una lista de 50 comedias de Tirso.)

COTARELO Y MORI, EMILIO: *Tirso de Molina, investigaciones bio-bibliográficas*. Madrid. Imp. de E. Rubiños, 1893, 222 págs., en 8.°

— *Comedias de Tirso de Molina. Colección ordenada e ilustrada por don...*, con introducción y comentarios. Madrid, Bailly-Baillière e Hijos, 1906-7. Dos tomos conteniendo (en la Nueva Biblioteca de Autores Españoles) 45 comedias.

CRUZADA VILLAMIL, G.: *Examen crítico de la comedia del maestro Tirso de Molina «La villana de Vallecas»*. «La Ilustración», Madrid, 1854.

DELGADO VARELA, R. P. JOSÉ MARÍA: *Psicología y teología de la conversión en Tirso*. Ensayos sobre la biografía y la obra del padre y maestro fray Gabriel Téllez, *Tirso de Molina*. Revista «Estudios», Madrid, Padres Mercedarios, 1949.

DURÁN, AGUSTÍN: *Apuntes biográficos sobre el maestro Tirso de Molina.* En su «Talía Española», Madrid, 1834.

— *Teatro escogido de fray Gabriel Téllez. Apuntes biográficos por...* Edición J. E. Hartzenbusch, Madrid, Imp. Yenes, 1839-1842, 12 tomos en 8.°

FERNÁNDEZ-GUERRA, AURELIANO: *Obras de Quevedo.* Madrid, Rivadeneyra, 1852. Referencias del compilador, en prólogo y notas, a Tirso de Molina.

— *Don Juan Ruiz de Alarcón y Mendoza.* Madrid, 1871.

FERNÁNDEZ-JUNCOS, M.: *Las mujeres de Tirso.* En «Nuestro Tiempo», Madrid, año 1916, tomo IV, págs. 16-21.

FLORES GARCÍA, FRANCISCO: *El nacimiento de Tirso.* Cuadro dramático en un acto y en verso. Representado por primera vez en el Teatro Martín el 10 de octubre de 1879. Madrid, Arregui Editor, 1879, tomo IV, 33 págs.

GABRIEL Y RAMÍREZ DE CARTAGENA, ALFONSO DE: *Alrededor de Tirso de Molina.* Madrid, Afrodisio Aguado, 1950, 146 páginas en 4.°

GALLARDO, BARTOLOMÉ JOSÉ: *Vida de Tirso de Molina.* Nota: Asegura haberla escrito al frente de una comedia inédita tirsista titulada *La peña de los enamorados.* La perdió el día de San Antonio de 1823, cuando naufragaron en el Guadalquivir otros ms. propios y ajenos.

GAMERO, ANTONIO MARTÍN: *Sobre «Los cigarrales de Toledo».* Toledo, 1857.

GARCÍA BLANCO, MANUEL: *Compañeros de Tirso de Molina en América que estudiaron en Salamanca.* S. l., n. a.

— *Algunos elementos populares en el teatro de Tirso de Molina.* Sep. del «Bol. de la Real Academia Española», págs. 423-442, Madrid, S. Aguirre, 1949.

— *Una curiosa utilización del romancero en el teatro de Tirso de Molina.* Ensayos sobre la biografía y la obra del padre y maestro fray Gabriel Téllez, *Tirso de Molina.* Revista «Estudios», Padres Mercedarios, 1949.

GASSIER, ALFRED: *Le theater espagnol.* París, 1898.

GIJÓN, DRA. ESMERALDA: *Concepto del honor y la mujer en Tirso de Molina.* Ensayos sobre la biografía y la obra del padre y maestro fray Gabriel Téllez, *Tirso de Molina*. Revista «Estudios», Madrid, Padres Mercedarios, 1949.

GIL DE ZÁRATE, ANTONIO: *Artículo sobre Tirso en comedias de Tirso de Molina*. En Biblioteca de Autores Españoles, tomo V, páginas 31-35, Ed. Hartzenbusch, Madrid, 1848.

GONZÁLEZ PALENCIA, ANGEL: *Quevedo, Tirso y las comedias ante la Junta de Reformación*. Madrid, 1946. Folleto, vid. Alfonso de Gabriel y R. de Cartagena.

— *Quevedo, Tirso y las comedias ante la Junta de la Reformación*. En «Boletín de la Real Academia Española», tomo XXV, Madrid.

GUSTAVINO GALLENT, GUILLERMO: *La toma de la Mamora relatada por Tirso de Molina*. Larache, 1939.

GUEVARA CASTAÑEIRO, JOSEFINA: *Tirso de Molina*. En «Puerto Rico Ilustrado», San Juan, 9 octubre 1948.

GUNCKEL L., HUGO: *Admiración de Tirso de Molina por Chile y los Araucanos*. Ensayos sobre la biografía y la obra del padre y maestro fray Gabriel Téllez, *Tirso de Molina*. Revista «Estudios», Madrid, Padres Mercedarios, 1949.

HARDÁ Y MÚXICA, FR. AMBROSIO: *Bhibliotheca scriptorum regalis ac milit ardinis Inmaculatae Virginis Mariae de Mercede*... Ms. que se conserva en la Biblioteca de la Real Academia de la Historia, sign. B. 38-40.

— *Biblioteca de escritores mercedarios*. Vivió Hardá de 1672 a 1734.

HARTZENBUSCH, EUGENIO: *Teatro escogido de fray Gabriel Téllez, conocido con el nombre de el maestro «Tirso de Molina»*. El tomo primero apareció en 1839, y el último, en Madrid, en la imprenta de Yenes, en 1842, calle de Segovia 6. 18 por 11 centímetros, unas 390 páginas. El tomo XII, con comentarios críticos y biográficos.

HENRÍQUEZ UREÑA, PEDRO: *Tirso de Molina*. En «Plenitud de España», Estudios de la Cultura, Buenos Aires, 1940.

HERRANZ, J., CONDE DE REPARAZ: *La realidad viviente de los personajes imaginados por Tirso de Molina*. En «Discursos de la Real Academia Española», Madrid. 1902.

HESSE, DR. EVERETT W.: *Bibliografía general de Tirso de Molina*. Ensayos sobre la biografía y la obra del padre y maestro fray

Gabriel Téllez, *Tirso de Molina*. Revista «Estudios», Madrid, Padres Mercedarios, 1949.

HIGES, VÍCTOR: *Tirso de Molina en Soria. Una noticia inédita de su estancia en plena juventud*. En «Hogar y Pueblo», Soria, 14 junio 1963.

HURTADO, JUAN, y GONZÁLEZ-PALENCIA, ANGEL: *Historia de la literatura española*. Varias ediciones, la 6.ª, en Madrid, 1949.

ICHASO, FRANCISCO: *Tirso de Molina*. En «La Información», La Habana, 13, 20 y 27 de febrero de 1949. Resumen de tres conferencias: la primera, sobre *Tirso de Molina;* la segunda, sobre *El teatro de Tirso de Molina;* la tercera, sobre *Tirso y Don Juan*.

JIMÉNEZ Y HURTADO, MANUEL: *Cuentos españoles contenidos en las producciones dramáticas de Calderón de la Barca, Tirso de Molina, Alarcón y Moreto*. Sevilla, 1881.

LAYNA SERRANO, FRANCISCO: *Guadalajara y el Centenario de Tirso de Molina*. En «El Alcázar», Madrid, 12 abril 1948.

LEAL REQUEJO, O. DE M., RVDO. P. ANTONIO: *Crónica y efemérides*. Ensayos sobre la biografía y la obra del padre y maestro fray Gabriel Téllez, *Tirso de Molina*. Revista «Estudios», Madrid, Padres Mercedarios, 1949.

LEE KENNEDY, DRA. RUTH: *La prudencia en la mujer y el ambiente en que se concibió*. Ensayos sobre la biografía y la obra del padre y maestro fray Gabriel Téllez, *Tirso de Molina*. Revista «Estudios», Madrid, Padres Mercedarios, 1949.

LISÓN Y BIEDMA, MATEO: *El tapaboca, que azotan*. Respuesta del Bachiller Ignorante al Chitón de las Taravillas, que hicieron los Licenciados Todo se Sabe y Todo lo Sabe. Dirigida a los Excmos. Sres la Razón, la Prudencia y la Justicia. Con licencia en Girona, por Llorens Den, año 1630, 42 h. en 8.º

LÓPEZ, O. DE M. FR. ALFONSO: *La Sagrada Biblia en las obras de Tirso*. Ensayos sobre la biografía y la obra del padre y maestro fray Gabriel Téllez, *Tirso de Molina*. Revista «Estudios», Madrid, Padres Mercedarios, 1949.

LÓPEZ ESTRADA, DR. FRANCISCO: *La Arcadia de Lope en la escena de Tirso*. Ensayos sobre la biografía y la obra del padre y maestro fray Gabriel Téllez, *Tirso de Molina*. Revista «Estudios», Madrid, Padres Mercedarios, 1949.

MACEDO SCAREZ, DR. JOSÉ C. DE: *Tirso de Molina.* Ensayos sobre la biografía y la obra del padre y maestro fray Gabriel Téllez, *Tirso de Molina.* Revista «Estudios», Madrid, Padres Mercedarios, 1949.

MARISCAL DE GANTE, J.: *Los autos sacramentales.* Madrid, 1911, 97-122.

MARQUINA, RAFAEL: *Tirso de Molina.* En «La Información», La Habana, 1949, tomo XIII.

MARTÍNEZ, P. FR. MANUEL (Obispo de Málaga): *Biografía de Tirso de Molina.* Falleció el autor en 1852, y Mesonero Romanos la cita en 1848, y nadie más la vio. Ha desaparecido este ms.

MARTÍNEZ DE AZAGRA, ANDRÉS: *Almazán en tiempos de Tirso de Molina.* Ensayos sobre la biografía y la obra del padre y maestro fray Gabriel Téllez, *Tirso de Molina.* Revista «Estudios», Madrid, Padres Mercedarios, 1949.

MARTÍNEZ Y MARTÍNEZ, F.: *Don Guillén de Castro no pudo ser el falso Alonso Fernández de Avellaneda.* Sin lugar ni año. En «España y América», tomo LXXIII, año 1922, págs. 294-98, crítica de Cabral.

MARTÍNEZ DE LA ROSA, FRANCISCO: *Artículo sobre Tirso en «Comedias escogidas de Tirso de Molina».* Editor, Hartzenbusch, Biblioteca de Autores Españoles, tomo V, págs. 30-31, Madrid, 1848.

MCCLELLAND, I. (L.): *Tirso de Molina and the Eighteenth Century.* En «Bulletin of Spanish Studies», tomo XVIII, págs. 182-204, Liverpool, 1941.

— *The mob scene in Tirso de Molina's Antona García.* En «Bulletin of Spanish Studies», tomo XX, págs. 214-231, Liverpool, 1943.

— *Tirso de Molina.* En «Studies in Dramatic Realism», Liverpool, 1948.

MCCLELLAND (MISS): *Tirso de Molina.* En «Studes in Dramatic Realism», Studies in Spanish Literature, Liverpool, 1948.

MEDEL DEL CASTILLO, FRANCISCO: *Indice general alfabético de todos los títulos de comedias que se han escrito por varios autores.* Madrid, 1735.

MEJÍA RICART, G. A.: *Discurso apologético acerca del maestro Tirso de Molina.* En «Boletín de la Academia Dominicana de la Lengua», tomo II, Santo Domingo, 1941.

MENÉNDEZ PIDAL, R.: *Sobre los orígenes de «El convidado de piedra»*. En «Cultura Española», 1906. Reimpreso en «Estudios Literarios», págs. 105-136, Madrid, 1920.

— *«El condenado por desconfiado» sobre los orígenes de «El convidado de piedra»*. En «Espasa-Calpe», Colección Austral, Buenos Aires, 1939.

MENÉNDEZ Y PELAYO, M.: *Una obra inédita de Tirso de Molina*. En «Revista de Archivos, Bibliotecas y Museos», I-XVII, págs. 243-256; tomo XIX, págs. 262-273, Madrid, 1908.

— *Investigaciones biográficas y bibliográficas sobre Tirso de Molina*. Extracto de la «España Moderna», Madrid, 1894.

— *Tirso de Molina*. En «Estudios de Crítica Literaria», II, 131-198, Madrid, 1895.

— *Fray Gabriel Téllez*. En «Boletín Bibliográfico Mejicano», tomos IV-V, Méjico, marzo-abril 1948.

MESONEROS ROMANOS, RAMÓN DE: *Tirso de Molina*. Cuentos, fábulas, descripciones, diálogos, máximas y apotegmas, epigramas y dichos escogidos en sus obras, con un discurso crítico. Madrid, 1848.

MILLÉ Y GIMÉNEZ, J.: *Miscelánea erudita: la fecha del «Don Gil de las calzas verdes»*. En «Hispanic Review», tomo XLVIII, págs. 193-206, año 1926.

MIRÓ QUESADA Y SOSA, AURELIO: *Gonzalo Pizarro en el teatro de Tirso de Molina*. En «Revista de las Indias», 2.ª época, Bogotá, 1940.

MONTOLIÚ, MANUEL DE: *Datos biográficos y bibliográficos del maestro Tirso de Molina*. Barcelona, 1947.

MONTOTO, SANTIAGO: *Una comedia de Tirso que no es de Tirso*. Separata de «Archivo Hispalense», Sevilla, 1946.

MOOREFIELD, ALLEN SHERAM: *An evalution of Tirso de Molina's «El burlador de Sevilla» y «Convidado de piedra» with the origins and development of the Don Juan Theme*. Una disertación, sin publicar, para la licenciatura. Universidad de Tennessee, año 1944.

MORBY, E. S.: *Portugal and Galicia in the plays of Tirso de Molina*. En «Hispanic Review», págs. 266-274, año 1941.

MOREL-FATIO, A.: *La prudence chez la femme, drame historique de*

Tirso de Molina. En «Studes sur l'Espagne», tomo III, págs. 27-72, año 1904.

MOREL FATIO, A.: *Etudes sur le theatre de Tirso de Molina.* En «Bulletin Hispanique», tomo II, págs. 1-109 y 178-203, Bordeaux, 1900.

MORENO VILLA, JOSÉ: *Una línea en la intimidad de Tirso.* En «Cuadernos Americanos», tomo XLIII, págs. 230-244, París, enero-febrero 1949.

MORLEY, S. G.: *Colour symbolism in Tirso de Molina.* En «Romanic Review», tomo VIII, págs. 77-81, año 1917.

— *El uso de las combinaciones métricas de las comedias de Tirso de Molina.* En «Bulletin Hispanique», tomo XVI, págs. 177-208, Bordeaux, 1914.

MUÑOZ PEÑA, PEDRO: *El teatro del maestro Tirso de Molina,* 694 págs, en 4.º Valladolid, 1889.

NOLASCO FLÉRIDA DE: *Un capítulo sobre Tirso de Santo Domingo. La música en Santo Domingo y otros ensayos.* Ciudad Trujillo, 1939.

— *Tirso de Molina en Santo Domingo.* En «Clío», tomo VII, páginas 13-19, Ciudad Trujillo, 1939.

NOLASCO PÉREZ, P. PEDRO: *La documentación del viaje de Tirso a la Española, 1616.* Recorte de un periódico de Chile, ¿1923?

— *Tirso de Molina, pasajero a Indias.* Ensayos sobre la biografía y la obra del padre y maestro fray Gabriel Téllez, *Tirso de Molina.* Revista «Estudios», Madrid, Padres Mercedarios, 1949.

ORTÚZAR, R. P. FR. MARTÍN: «*El condenado por desconfiado*» *depende teológicamente de Zumel.* Ensayos sobre la biografía y la obra del padre y maestro fray Gabriel Téllez, *Tirso de Molina.* Revista «Estudios», Madrid, Padres Mercedarios, 1949.

OSORIO Y BERNARD, M.: *Tirso de Molina.* En «Revue de Deux Mondes», París, 1 de mayo de 1840.

— *El retrato de Tirso de Molina.* En «Papeles viejos e investigaciones literarias», 155 págs., Madrid, 1890.

FR. M. P.: *Tirso de Molina y los Mercedarios.* En la revista «La Merced», Madrid, julio-agosto, 1942.

PANTORBA, BERNARDINO DE: *Felipe IV y su época.* Con muchas noticias de la época de Tirso. Editorial Gran Capitán, Madrid, 1945.

PENEDO REY, FR. MANUEL: *Muerte documentada del padre y maestro fray Gabriel Téllez en Almazán y otras referencias biográficas.* En «Estudios», tomo I, págs. 192-206, Madrid, 1945.

PENEDO REY, FR. MANUEL: *Noviciado y profesión de Tirso de Molina.* En «Estudios», tomo II, págs. 82-103, Madrid, 1945.

— *Almazán y Madrid en la biografía de Tirso.* En «Estudios», tomo III, págs. 172-175, Madrid, 1945.

— *Exaltación de la hispanidad en Tirso de Molina.* Resumen de un artículo bajo el mismo título por Blanca de los Ríos de Lampérez. En «Estudios», tomo III, pág. 176, Madrid, 1945.

— *Fray Gabriel Téllez, hijo del convento de la Merced, de Madrid.* En «La Merced», núm. II, págs. 200-201, Madrid, septiembre-octubre, 1945.

— *El fraile músico de «Los cigarrales de Toledo», de Tirso de Molina.* En «Estudios», tomo III, págs. 383-390, Madrid, septiembre-diciembre, 1947.

— *Tirso de Molina* (febrero 1648-1948). En «La Merced», núm. 26, Madrid, marzo-abril, 1948.

— *Tirso de Molina y los Mercedarios.* En «La Merced», núm. 28, Madrid, julio-agosto, 1948.

— *Aparece un retrato de Tirso de Molina en Santo Domingo.* En «Arriba», Madrid, 10 de noviembre de 1949.

— *Bordón compostelano de Tirso de Molina.* En «La Merced», núm. 29, Madrid, septiembre-octubre, 1948.

— *Ampliación al trabajo del padre Ríos «Tirso no es bastardo».* Ensayos sobre la biografía y la obra del padre y maestro fray Gabriel Téllez, *Tirso de Molina.* Revista «Estudios», Madrid, Padres Mercedarios, 1949.

— I. *Tirso de Molina en Toledo.* II. *Tirso de Molina en Sevilla.* III. *Tirso de Molina desterrado en Cuenca.* IV. *Tirso, comendador en Soria. Definidor provincial. Su muerte en Armazán.* Ensayos sobre la biografía y la obra del padre y maestro fray Gabriel Téllez, *Tirso de Molina.* Revista «Estudios», Madrid, Padres Mercedarios, 1949.

— I. *Biografía de Tirso, por el padre Hardá y Múxica.* II. *Tirso y su grado de maestro.* III. *La inscripción del retrato de Molina.* IV. *Una décima y una aprobación no conocida de fray Gabriel Téllez.* V. *Exequias y entierro de Tirso de Molina.* Ensayos sobre la biografía y la obra del padre y maestro fray Gabriel Téllez, *Tirso de Molina*. Revista «Estudios», Madrid, Padres Mercedarios, 1949.

PÉREZ CAPO, FELIPE: *«Pasión y gracia», de Tirso de Molina, «La gallega Mari-Hernández», «La firmeza en la hermosura»*. En Espasa-Calpe, Buenos Aires, 1944.

PÉREZ DE AYALA, R.: *Las máscaras*, tomo II, págs. 195-265, Madrid, 1924.

PÉREZ DE MONTALBÁN, JUAN: *Para todos*. En «Indice de los ingenios de Madrid», Madrid, 1632.

PÉREZ PASTOR, CRISTÓBAL: *Nuevos datos acerca del histrionismo español*. En «Bulletin Hispanique», Burdeaux, 1908.

— *Nuevos datos acerca del histrionismo español en los siglos XVI y XVII*. En «Bulletin Hispanique», tomo X, págs. 250-251, Burdeaux, 1908.

PEYTON MYRON, A.: *Some baroque aspectos of Tirso de Molina*. En «Romanic Review», tomo XXXVI, págs. 43-69, año 1945.

PICATOSTE, FELIPE: *Estudios literarios*. Madrid, 1892.

PIJOAN, J.: *Acerca de las fuentes populares de «El condenado por desconfiado»*. En «Hispania», tomo VI, págs. 109-114, Palo Alto (Calif), 1923.

PLACE, EDWIN B.: *Manual elemental de novelística española*. Biblioteca Española de Divulgación Científica, VII, págs. 62-64, Madrid, Victoriano Suárez, 1926.

PLACER, FR. GUMERSINDO: *Santoral de Tirso de Molina*. En «La Merced», págs. 107-109, Madrid, julio-agosto, 1942.

— *Biografía del padre Alonso Remón, clásico español*. En «Estudios», núms. 2 y 3, págs. 59-90. Biografía de un socio de Tirso en la Orden de la Merced estrechamente identificado con él en el trabajo religioso y en rivalidad literaria. Madrid, 1945.

— *Los lacayos de las comedias de Tirso de Molina*. En «Estudios», II, núm. 4, págs. 59-115, Madrid, 1946.

— *El convento madrileño de fray Gabriel Téllez*. En «La Merced», núm. 29, tomo V, págs. 141-142, Madrid, mayo-junio, 1948.

— *Fray Gabriel Téllez y el padre Salmerón*. En «La Merced», número 29, tomo V, págs. 74-76, Madrid, septiembre-octubre, 1948.

— *Santoral de Tirso de Molina*. En «La Merced», núm. 28, tomo V, págs. 107-109, Madrid, julio-agosto, 1948.

PLACER, FR. GUMERSINDO: *Tirso y Galicia*. Ensayos sobre la biografía y la obra del padre y maestro fray Gabriel Téllez, *Tirso de Molina*. Revista «Estudios», Madrid, Padres Mercedarios, 1949.

— *Un nuevo retrato de Tirso de Molina*. Ensayos sobre la biografía y la obra del padre y maestro fray Gabriel Téllez, *Tirso de Molina*. Revista «Estudios», Madrid, Padres Mercedarios, 1949.

— *Tirso en Galicia*. En «La Merced», en los números de diciembre de 1931 y enero y febrero de 1932, Madrid, 1931-32. En «Estudios», extraordinario, Madrid, 1949.

PORRAS, ANTONIO: *«El burlador de Sevilla» invención de la Vera Vida*. Madrid, 1937.

PRADO, NORBERTO: *El condenado por desconfiado*. Estudio crítico teológico del drama. Vergara, 1907.

QUEVEDO, FRANCISCO DE: *El Chitón de las Taravillas*. Obra del Licenciado Todo se Sabe. A vuesa merced, que tira la piedra y esconde la mano. En Guesca, y Enero 1 de 1630 años. 40 hojas de impresión en octavo. Nota: Astrana da esta ficha bibliográfica, añadiendo que «en el librito, Quevedo, bajo el pseudónimo indicado, hacía una calurosa defensa del Conde-Duque», aunque, según él, este libelo, «envuelto en los más atroces ataques contra aquel enemigo encubierto en el anónimo que tiraba la piedra y escondía la mano», no era Tirso, sino don Mateo de Lisón y Biedma, págs. 400-401, en *La vida turbulenta de Quevedo*.

REVILLA, MANUEL DE LA: En la «Ilustración Española y Americana», Madrid, junio, 1878.

RÍOS DE LAMPÉREZ, BLANCA DE LOS: *Tirso de Molina*. Conferencia en el Ateneo de Madrid. Madrid, 1906.

— *Un documento para la biografía de Tirso de Molina*. En «ABC», Madrid, 12 de noviembre de 1922.

— *El enigma biográfico de Tirso de Molina*. Tip. de A. Fontana, 75 págs. en 4.°, Madrid, 1928.

— *Fray Gabriel Téllez, «Tirso de Molina». Estudio biográfico y crítico premiado por la Real Academia de la Lengua en 1885.* Nota: Anunciado como en preparación en el «Catálogo de las obras de Blanca de los Ríos de Lampérez y algunos juicios de la crítica acerca de ellas». Madrid, V. H. de Sanz Calleja, 1927.

RÍOS DE LAMPÉREZ, BLANCA DE LOS: *La Plaza Mayor, sorpresa de Tirso.* En «ABC», Madrid, 29 diciembre 1951.

— *Tirso de Molina* (Fray Gabriel Téllez, 1584-1648). *Obras dramáticas completas.* Edición crítica y estudio por... Tomo I, Madrid, 1946 (CXLII+1938). Tomo II, Madrid, Aguilar, S. A. de Eds., 1952 (35+0513). Tomo III, Madrid, Aguilar, S. A. de Eds., 1958 (1443).

RÍOS, O. DE M., P. MIGUEL L.: *Tirso de Molina no es bastardo.* Doña Blanca de los Ríos. La fe de bautismo de Gabriel-Juliana. Ensayos sobre la biografía y la obra del padre y maestro fray Gabriel Téllez, *Tirso de Molina.* Revista «Estudios», Madrid, Padres Mercedarios, 1949.

RÍOS M., MIGUEL: *La hipótesis de doña Blanca de los Ríos de Lampérez sobre la fe de nacimiento de Tirso de Molina.* (Carta abierta al director de la revista «Atenea», don Luis Durand, en la que dos frailes de la Orden de la Merced dan argumentos canónicos que prueban que Tirso no fue bastardo.) En «Atenea», tomo XC, págs. 299-314, Concepción (Chile), agosto, 1948.

ROCA TOGORES, MARIANO: *Tirso: «La prudencia en la mujer».* Discurso leído en el Ateneo. En sus *Obras,* tomo II, páginas 261-277.

RODRÍGUEZ MARÍN, F.: *Nuevos datos biográficos: Tirso de Molina.* En «Boletín de la Real Academia Española», tomo VIII, páginas 89-91, Madrid, 1921.

— *Fray Gabriel Téllez, «Tirso de Molina».* En «Nuevos datos para las biografías de cien escritores de los siglos XVI y XVII. Contiene tres documentos sobre Tirso. Madrid, 1923.

— *Las disfrazadas de varón en la comedia.* En «Hispanic Review», tomo II, págs. 269-286, año 1934.

ROSELL, CAYETANO: *Biografía de Tirso de Molina.* En «Ilustración Española y Americana», Madrid, 1879.

— *Biografía de Tirso de Molina.* En «Almanaque de la Ilustración Española y Americana», Madrid, año 1879.

SAINZ DE ROBLES, F. C.: *Fray Gabriel Téllez, «Tirso de Molina».* En «Dic. Biog. Universal», tomo I, págs. 198-201, Madrid, s. a.

SAINZ RODRÍGUEZ, PEDRO: *Homenaje a doña Blanca de los Ríos.* Discurso en el homenaje que le tributó a la ilustre escritora la Real Academia de Jurisprudencia y Legislación. Madrid, 1924.

SALINAS Y CASTRO, JUAN DE: *Poesías*. Contiene una décima dirigida a Tirso en el tomo II, pág. 284. Sevilla, 1869.

SAN ROMÁN, FRANCISCO: *Los protocolos de los antiguos escribanos de la Ciudad Imperial*. En el Archivo Histórico Provincial de Toledo, tomo I. Contiene «Carta de dotación y agradecimiento» con la firma de Tirso, demostrando su estancia en Toledo en la fecha 2 de marzo de 1615.

SAN ROMÁN, FRANCISCO: *Los protocolos de los antiguos escribanos de la Ciudad Imperial*. Archivo Histórico Provincial de Toledo, tomo, I, págs. 88-89. «Carta de dotación y apoderamiento» y su fotografía, y por consiguiente, demuestra su estancia en Toledo en la fecha de 2 de marzo de 1615. Madrid, 1934.

SÁNCHEZ ARJONA, JOSÉ: *El teatro en Sevilla en los Siglos XVI y XVII*. Madrid, 1887.

SANTULLANO, LUIS: *En el Centenario de Tirso: «Don Juan», español universal*. En «Las Españas», III, págs. 3-15, Méjico, 29 de julio de 1948.

SANZ Y DÍAZ, JOSÉ: *De Guadalajara a Santo Domingo. ¿Era fray Gabriel Téllez de familia molinesa?* En «El Alcázar», Madrid, 29 abril 1948.

— *Tesis históricas. Tirso se crió en Taravilla*. En «Diario de Barcelona», Barcelona, 6 abril 1956.

— *La supuesta naturaleza molinesa de Tirso*. «En «Diario de Barcelona», Barcelona, 11 julio 1948. Reproducido luego en «Nueva Alcarria», de Guadalajara.

SARRATOGA, FR. RAMÓN: *El padre y maestro fray Gabriel Téllez como religioso*. Ensayos sobre la biografía y la obra del padre y maestro fray Gabriel Téllez, *Tirso de Molina*. Revista «Estudios», Madrid, Padres Mercedarios, 1949.

SARRA, DOLORES: *Women in the theater of Tirso de Molina*. En «Abstracts of Dissertations, Stanford University», tomo XV, páginas 88-89.

SCHACK, A. F. VON: *Historia de la literatura y del arte dramático de España*, tomo III, págs. 389-464, traducción del alemán. Madrid, 1885-87.

SCHAEFFER, A.: *Geschichte des Espanischen nationaldramas*, tomo II. Leipzig, 1890.

SCHMIDT, LEOPOLDO V.: *Ueber die vier bedeutendesten dramatiken der Espanien, Lope de Vega, Tirso de Molina, Alarcón und Calderón*. Bonn, 1856.

SERRANO Y SANZ, MANUEL: *Nuevos datos biográficos de Tirso de Molina*. En «Revista de España», págs. 66-74 y 141-153, Madrid, 1894.

SERRANO Y SANZ, MANUEL: *Solemne inauguración del busto de Tirso de Molina en el Teatro Español*. En «Raza Española», año II, núms. 131-132, Madrid, 1929.

SOUSA PINTO, MANUEL DE: *Portugal e os portuguezos em Tirso de Molina*. Conferencia lida pelo auctor na recita classica do Theatro Nacional Almeida Garrett em malo de 1914. París, Aillaud, 1914.

TALAMANCO, P. FR. JUAN DE: *Registro de los papeles del convento de Guadalajara para el fin de recoger las memorias conducentes a la historia de la Orden*. Ms. redactado en 1735.

TORRES, PINHEIRO: *Tirso de Molina, no Terceiro Centenairo da morte do gloriso dramaturgo e poeta espanhol*. Oporto, 1943.

UNCITI, R. H.: *El falso Quijote y Tirso de Molina*. En «Ateneo», tomo I, págs. 105-110 y 163-165, Vitoria (Alava), 1914.

VALBUENA PRAT, ANGEL: *El Centenario de Tirso de Molina*. En «Finisterre», tomo I, fasc. 4, págs. 293-313, Madrid, 1948.

VAUTHIER, ETIENNE: *Theater espagnol: Tirso de Molina, Ruiz de Alarcón*, tomo II, París, 1932.

VEGA CARPIO, FÉLIX LOPE DE: *El laurel de Apolo*. Elogio de Tirso en la silva VII. Madrid, 1630.

VEGUE Y GOLDONI, ANGEL: *«Los cigarrales de Toledo» en el Siglo de Oro. Datos para su historia*. En «Revista de las Españas», tomo II, págs. 508-518, Madrid, 1927.

VERA Y MENDOZA, FERNANDO DE: *Panegírico por la poesía*. Se refiere a Tirso como «Presentado» y «Comendador» en Trujillo. Madrid, 1620.

VIARDOT, LUIS: *Estudios sobre la historia de las instituciones: Literatura, teatro y bellas artes en España*. Escrito originalmente en francés. Comentarios sobre Tirso en las págs. 244-45 y 250. Logroño, 1841.

VIEL-CASTEL, LOUIS DE: *Tirso de Molina*. En «Revue de Deux Mondes», tomo XXII, págs. 488-507, París, 1840.

VIÑAS MEY, CARMELO: *La visión de América en las comedias de*

Tirso de Molina. En «Estudios Americanos», tomo I, Madrid, 1948.

VOSSLER, KARL: *Ein Spanisches drama von Glauben und Gnade.* Hochland (Olten, Suiza), 40 Jahrgang, Drittes Heft (abril 1948) m. 290-293. Este artículo trata de *El condenado por desconfiado.*

VOSSLER, KARL: *Tirso de Molina.* En «Corona», tomo X, págs. 148-172, 1940.

— *Tirso de Molina.* En «Escorial», revista de cultura y letras, tomo II, págs. 167-186, Madrid, 1941.

WADE, GERALD E.: *Tirso de Molina: «La Santa Juana», primera parte.* Edición crítica con introducción y notas, «Ohio State University». Extracto de disertaciones doctorales, pág. 37, año 1937.

— *Escenario histórico y la fecha de «Amar por razón de Estado».* Ensayos sobre la biografía y la obra del padre y maestro fray Gabriel Téllez, *Tirso de Molina.* Revista «Estudios», Madrid, Padres Mercedarios, 1949.

— *Tirso de Molina.* En la revista «Hispania», Nueva York, 1949.

— *Tirso de Molina.* Ensayos sobre la biografía y la obra del padre y maestro fray Gabriel Téllez, *Tirso de Molina.* En la revista «Estudios», Madrid, Padres Mercedarios, 1949.

— *La nueva edición de Tirso de Molina en «Clásicos cortesanos».* En «Estudios», año VII, núm. 17, Madrid, mayo-agosto, 1950.

ZAMORA LUCAS, FLORENTINO: *Evocación de Tirso de sus conventos de Soria y Almazán.* Ensayos sobre la biografía y la obra del padre y maestro fray Gabriel Téllez, *Tirso de Molina.* En «Estudios», Madrid, Padres Mercedarios, 1949.

ZAMORA VICENTE, ALONSO: *Los valores poéticos en el teatro de Tirso.* En «Insula», revista bibliográfica y de ciencias y letras, tomo III, pág. 1, Madrid, 15 abril 1948.

INDICE